Marçal Aquino

O MISTÉRIO DA CIDADE-FANTASMA

Série Vaga-Lume

editora ática

Este livro apresenta o mesmo texto das edições anteriores

O mistério da cidade-fantasma
© Marçal Aquino, 1993

Editor	Fernando Paixão
Assessora editorial	Carmen Lucia Campos
Preparadora	Lizete Machado Zan
Coordenadora de revisão	Ivany Picasso Batista
Revisora	Cátia de Almeida

ARTE
Editor	Ary A. Normanha
Capa e ilustrações	Daniel Munhoz
Editoração eletrônica	Ary A. Normanha
	Fukuko Saito
	Antonio U. Domiencio
	Marco Antônio Fernandes

CIP-BRASIL. CATALOGAÇÃO NA FONTE
SINDICATO NACIONAL DOS EDITORES DE LIVROS, RJ

A669m
5.ed.

Aquino, Marçal, 1958-
   O mistério da cidade-fantasma / Marçal Aquino ; ilustrações
Daniel Munhoz. - 5.ed. - São Paulo : Ática, 2000.
   96p. : il. - (Vaga-Lume)

   Contém suplemento de leitura
   ISBN 978-85-08-04536-5

   1. Novela infantojuvenil brasileira. I. Munhoz, Daniel. II.
Título. III. Série.

10-4486.   CDD 028.5
                                  CDU 087.5

ISBN 978 85 08 04536-5 (aluno)
ISBN 978 85 08 04538-9 (professor)

2023
5ª edição
28ª impressão
Impressão e acabamento: A.R. Fernandez

Todos os direitos reservados pela Editora Ática
Av. Otaviano Alves de Lima, 4400 – CEP 02909-900 – São Paulo, SP
Atendimento ao cliente: 4003-3061 – atendimento@atica.com.br
www.atica.com.br

IMPORTANTE: Ao comprar um livro, você remunera e reconhece o trabalho do autor e o de muitos outros profissionais envolvidos na produção editorial e na comercialização das obras: editores, revisores, diagramadores, ilustradores, gráficos, divulgadores, distribuidores, livreiros, entre outros. Ajude-nos a combater a cópia ilegal! Ela gera desemprego, prejudica a difusão da cultura e encarece os livros que você compra.

EDITORA AFILIADA

UMA CIDADE QUE NÃO ESTÁ NO MAPA

Por engano, um grupo de amigos que tinha decidido acampar vai parar numa cidade completamente deserta e é obrigado a passar a noite ali. Não bastasse a situação por si só pouco atraente, logo começam a ocorrer fatos estranhos que despertam a atenção da turma.

Os sinos da igreja parecem estar tocando sozinhos e um vulto misterioso percorre a praça do lugar, em meio ao maior temporal. Isso, entretanto, é apenas o começo... O pior ainda está por acontecer. Você nem pode imaginar o que se esconde por trás do mistério da cidade-fantasma.

Neste livro incrível, a realidade vai revelar um lado muito além da imaginação. Você vai conhecer um grupo de jovens às voltas com uma aventura de arrepiar os cabelos. Suspense, mistério e muita emoção estão à sua espera nas páginas que seguem. Prepare seus nervos!

CONHECENDO **MARÇAL AQUINO**

*Q*uando criança, Marçal Aquino conheceu uma cidade abandonada, nas proximidades de Campinas. Era um povoado que, por causa da crise do café, tinha perdido todos seus habitantes e agora vivia envolto em um estranho silêncio. Essa experiência marcou-o de tal forma que muitos anos depois serviu de inspiração para **O mistério da cidade-fantasma**. O escritor nasceu em Amparo, no interior paulista, em 1958.

Começou a escrever aos dezesseis anos, no jornal de sua cidade, e não parou mais: tornou-se jornalista, sem abandonar a literatura. Ganhou vários prêmios literários e hoje é considerado um dos destaques da nova geração de escritores brasileiros.

SUMÁRIO

PRIMEIRA PARTE • *A CIDADE-FANTASMA*

1. UM ENGANO	8
2. A DESCOBERTA DE ALEX	11
3. A CIDADE	17
4. UM FANTASMA NO CORREDOR	22
5. SURPRESA PARA O JANTAR	25
6. UM VULTO NA CHUVA	28
7. CENAS DE HISTERIA	32
8. SESSÃO DE CINEMA	36
9. BARTOLOMEU	39
10. SURPRESAS NO HOTEL	45
11. NOTÍCIAS VELHAS	47

SEGUNDA PARTE • *OS FANTASMAS DA CIDADE*

1. A CHEGADA DO HOMEM CINZA	52
2. CONVERSA NA FUNERÁRIA	53
3. REFLEXÕES NO CATIVEIRO	62
4. A CIDADE DO CRIME	67
5. UM HOMEM APAIXONADO	72
6. RECORDAÇÕES DO PASSADO	75
7. MENINA CORAJOSA	79
8. KID MONTANHA **X** HOMEM CINZA	82
9. O SEGREDO DE BARTOLOMEU	86
10. A MINA VERMELHA	91

Para Alice, que chegou
junto com este livro.

PRIMEIRA PARTE

A CIDADE-FANTASMA

"Não tenho medo do escuro,
mas deixe as luzes acesas agora."
(Renato Russo, "Tempo perdido")

1. UM ENGANO

Um minuto depois que o ônibus se afastou pela estrada de terra, levantando uma imensa nuvem de poeira, Cacá percebeu que cometera um erro terrível. Ele olhou para seus quatro companheiros, que observavam a paisagem com a curiosidade de quem vê uma coisa pela primeira vez, e passou a mão pelos cabelos encaracolados, sem saber como contar-lhes o que acabara de descobrir.

— Gente, acho que fiz uma grande burrada — começou a falar lentamente, meio sem jeito, como se procurasse coragem para dar uma notícia ruim.

Todos olharam para ele. E como permaneceram em silêncio, Cacá tomou fôlego e disse:

— Nós desembarcamos no lugar errado.

As reações foram diferentes. Patrícia, sua namorada, fez uma careta e deixou cair no chão a pesada mochila que carregava no ombro. Alex franziu a testa, olhando para Cacá com cara de quem não tinha entendido. Helinho também colocou no solo sua bagagem e sentou-se sobre uma das malas, tirando em seguida o boné e passando a mão pelo rosto suado. E Mônica, a irmã de Patrícia, sacudiu a cabeça, desanimada, antes de comentar:

— Eu sabia que tudo estava indo certinho demais.

Fazia calor e o único ruído que se ouvia, além do ronco do motor do ônibus soando cada vez mais distante, era produzido por pássaros e insetos. Cacá consultou o relógio: quase três da tarde da sexta-feira. Ele estava confuso e faminto, como todo mundo ali, pois ainda não havia almoçado. E por duas razões Cacá sabia que a responsabilidade por tudo que acontecesse com o grupo era sua: por ser o mais velho da turma e, afinal, porque fora sua a ideia de passar o feriado prolongado da Semana da Pátria num *camping*.

— Você tem certeza de que errou o lugar onde a gente teria de descer? — perguntou Patrícia, inconformada, aproximando-se do namorado.

Cacá olhou para ela e depois para a expressão de desalento estampada no rosto dos demais. Colocou no chão os pesados equipamentos de *camping* que levava nas costas, esfregando os ombros doloridos. Em seguida examinou mais uma vez o cenário à sua volta, como se as árvores e montanhas silenciosas pudessem oferecer alguma orientação.

— Juro que eu achei que era aqui a entrada para o *camping* Serra das Rosas — explicou, abrindo o mapa que carregava no bolso. — Pelas anotações que fiz, a gente já devia estar avistando uma cachoeira.

— Eu não estou escutando nenhum barulho de água. A única coisa que ouço é meu estômago reclamando da fome — brincou Helinho, espreguiçando-se.

— Mas como é que aconteceu um negócio desses? Você não esteve aqui no ano passado? — Alex perguntou, aproximando-se também de Cacá.

— Claro que estive. Lembro que desci logo depois que o ônibus passou por uma ponte e eu pensei que era aquela ali — Cacá respondeu, indicando uma pequena ponte a duzentos metros de onde o grupo se encontrava.

— Deve existir outra ponte perto do *camping* e com certeza você não reparou nesta aqui quando passou por ela no ano passado — opinou Patrícia, tentando confortar o namorado.

— Vai ver foi isso — Cacá concordou, enquanto tornava a conferir o mapa. — E o que me atrapalhou mais ainda é que a paisagem é muito parecida. Só descobri que tinha me enganado quando não vi a cachoeira.

— Sabe o que eu acho? A gente devia ter perguntado ao motorista do ônibus se estava descendo no lugar certo — disse Alex, como se estivesse criticando o companheiro.

— Agora é tarde, Alex — Cacá rebateu. — Eu nem pensei nisso na hora porque tinha certeza de que o lugar era este.

— E agora, o que a gente vai fazer? — quis saber Mônica, que roía as unhas, sua reação característica quando estava nervosa. — Estamos perdidos aqui neste fim de mundo...

— Espere aí, Mônica, também não é assim tão grave — disse Helinho, levantando-se e colocando a mão no ombro da menina. — E seu espírito aventureiro, onde é que fica?

— Espírito aventureiro uma ova! — a garota exclamou, olhando com ar de reprovação para o companheiro. — Bem que eu queria passar este feriado prolongado em São Paulo mesmo. Não sei por que topei vir com vocês. Eu nem gosto de mato.

— Calma, gente — Cacá pediu, enquanto prosseguia sua consulta ao mapa. — Vamos ficar calmos e pensar numa solução. Acho que não estamos tão longe do *camping* assim...

— Ué, basta pegar o próximo ônibus e tudo bem — sugeriu Alex, ao mesmo tempo que também se livrava das mochilas que carregava.

— Bobão, você esqueceu que aquele ônibus em que viemos é o único que passa por aqui? — censurou-o Helinho. — Foi isso o que disseram lá na rodoviária de Bauru quando a gente embarcou. Outro ônibus só amanhã.

— Quem sabe conseguimos uma carona até o *camping* com algum carro que passar por aqui... — Patrícia tentou animar os companheiros.

— Só se for carro de boi — Helinho retrucou, provocando um riso nervoso em todos. — Não cruzamos com nenhum carro desde que o ônibus entrou nesta estrada de terra, estão lembrados?

— Será que não existe nenhum telefone aqui por perto? — perguntou Mônica, dirigindo-se a Patrícia. Podíamos ligar para o papai e ele com certeza manda alguém pegar a gente aqui.

Patrícia riu da sugestão de Mônica. E perguntou se ela tinha ideia da distância a que se encontravam de São Paulo. Diante do silêncio da irmã, prosseguiu:

— Deixe de ser medrosa, menina. A gente só desembarcou no lugar errado. Vamos chegar até o *camping* daqui a pouco, não é, Cacá?

— É isso mesmo, gente — Cacá concordou, dobrando o mapa. — Mas acho que primeiro temos uma outra coisa pra resolver: o almoço.

— Ufa! Ainda bem que eu não sou o único que tem estômago aqui — Helinho comentou, recolhendo a bagagem do chão.

— Então mãos à obra — comandou Cacá, erguendo com esforço os equipamentos de *camping*. — Podemos sentar na sombra daquela árvore e preparar uns sanduíches bem rapidinho.

Mônica olhou para a árvore que o namorado da irmã havia indicado do outro lado da estrada e, quando falou, sua voz tinha um tom indisfarçável de queixa:

— Será que ali não tem cobra?

— Ô menina medrosa — Helinho disse, puxando Mônica pelo braço. — Se aparecer alguma cobra, a gente faz recheio para os sanduíches com ela.

Mônica virou-se para ele com cara de nojo e livrou o braço num gesto brusco. Depois seguiu os companheiros em direção à árvore, mantendo no rosto uma expressão amuada.

Alex foi o último a acompanhá-los. Ele apanhou lentamente as mochilas do chão, como se aquele ato exigisse grande concentração. Na verdade, Alex achava válida a pergunta feita por Mônica, e a possibilidade de que uma cobra ou algum outro bicho aparecesse o enchia de terror. O que ele não queria, porém, era que os companheiros notassem seu temor e o chamassem também de medroso. Foi por isso que ele caminhou devagar, olhando cuidadosamente a vegetação em que pisava, como se não tivesse nenhuma pressa em comer.

2. A DESCOBERTA DE ALEX

Cacá e Patrícia encostaram-se no tronco grosso da árvore, enquanto Helinho e Alex sentaram-se perto do casal. Mônica, num visível acesso de mau humor, acomodou-se um pouco a distância, mas também protegida pela sombra que a espessa folhagem da árvore produzia. Todos comeram em silêncio os sanduíches preparados por Cacá e Patrícia. E, naquele momento, cada um tinha um pensamento diferente.

Incomodado com o calor, Helinho abanava-se com o boné e imaginava o prazer que um banho de cachoeira estaria proporcionando naquele instante se Cacá não tivesse cometido a asneira de fazê-los desembarcar no lugar errado. Patrícia, que já havia terminado de comer, encostara a cabeça no ombro do namorado e tentava lembrar-se de quem tinha sido a ideia de convidar Mônica para a viagem. Seu medo era o de que a irmã estragasse tudo com suas manias. Cacá mastigava lentamente o sanduíche, procurando pensar numa saída para aquela situação. De olho na estrada vazia, ele no fundo se preparava para dar aos amigos a notícia de que teriam de caminhar sob aquele sol até o *camping* — sem saber ao certo a que distância estavam do lugar.

Emburrada, Mônica estava de costas para o grupo, sentindo a tensão percorrer todo seu corpo. E nem conseguia mastigar direito o sanduíche, atenta aos mínimos ruídos que vinham das folhas caídas no solo. Alex tinha deixado o medo de lado por algum tempo e seu olhar estava fixo nos cabelos loiros da menina sentada à sua frente. Naquele momento, o que ele gostaria mesmo seria de afagá-los, tentando tranquilizar a companheira de aventura. Mas não tinha coragem para isso.

Foi então que Helinho teve uma de suas ideias. Apanhando um galho do chão, ele aproximou-se silenciosamente de Mônica, acompanhado pelo olhar dos demais. Quando o galho roçou os cabelos da menina, ela deu um salto e um grito tão agudo que até Helinho se assustou. As risadas de Cacá e Patrícia cessaram quando Mônica se voltou e todos perceberam que ela estava pálida, trêmula e com os olhos cheios de lágrimas.

— Não faça isso, idiota — berrou Alex, pondo-se em pé e empurrando Helinho. — Que brincadeira mais besta, pô!

— Ei, o que é isso? — surpreendeu-se Helinho, tentando recuperar o equilíbrio.

— Pra que assustar a menina? — prosseguiu Alex, encarando o companheiro com raiva.

— Ai, meu Deus, apareceu o defensor das mulheres...

Helinho não terminou a frase, pois Alex, com um novo empurrão, derrubou-o no solo. Levantando-se rapidamente, Helinho encarou seu oponente: ambos tinham quinze anos, mas Alex era quase um palmo mais alto.

— Vai querer engrossar, é? — Helinho perguntou, ao mesmo tempo que erguia as mãos fechadas, preparado para o confronto.

— Ei, calma! Deixem de bobagem — berrou Cacá, colocando-se rapidamente entre os dois e afastando-os. — Nós já temos um grande problema pra resolver e só me falta vocês dois arrumarem mais confusão.

— É esse bobo do Alex que quer bancar o valente — reclamou Helinho, que tentava limpar a calça suja de terra.

— Chega de briga, Helinho — Cacá ordenou de dedo em riste. — Você não devia brincar com a Mônica dessa maneira. Peça desculpas a ela.

Helinho baixou a cabeça e, como se estivesse fazendo um grande esforço, olhou para Mônica e murmurou um pedido de desculpas. A garota, que ainda não se refizera do susto e continuava pálida, fez uma careta e voltou a sentar-se. Cacá olhou para Patrícia, como se esperasse a aprovação da namorada para sua atitude, o que veio em forma de um sorriso. Ele caminhou para junto dela pensando nos três dias do feriado prolongado que tinham pela frente. Aos dezessete anos, Cacá se sentia

— Ei, calma! Deixem de bobagem — berrou Cacá, colocando-se rapidamente entre Alex e Helinho.

incomodado em ter de bancar o guia e ainda por cima controlar as ações de seus companheiros de viagem.

Alex ainda estava irritado. Isso ficou claro pelo modo como recolheu sua bagagem do chão e se afastou do grupo, voltando para a estrada. Cacá acompanhou a cena, satisfeito: ele sabia que Alex, quando ficava nervoso, tornava-se incontrolável. Portanto, era bem melhor que ele descarregasse sua ira caminhando sob o sol intenso. Na sequência, Cacá levantou-se e ajudou sua namorada a fazer o mesmo. E, dirigindo-se a Patrícia e Helinho, falou:

— Muito bem, todo mundo já acabou de comer. Acho que é hora de pensar na vida.

Mônica, que naquele momento bebia água diretamente no gargalo de uma garrafa plástica, olhou curiosa para o namorado da irmã, tentando adivinhar como fariam para chegar ao *camping*. Helinho, que tinha a mesma dúvida, adiantou-se:

— E aí, Cacá, como é que a gente vai fazer?

— Ainda não sei. Mas não vai adiantar nada ficar parado aqui. Lamento dizer, mas acho que o jeito vai ser irmos andando até lá.

— Com este sol? Deus me livre! — Mônica protestou de imediato. — A gente nem sabe direito quanto falta para chegar ao *camping*...

— O que que tem, menina? Será que você não consegue fazer um pouquinho de exercício? — Patrícia riu da falta de disposição da irmã e aproveitou para brincar: — O Cacá acha que são apenas uns dez quilômetros. Vamos lá, Mônica, e a gente chega antes que anoiteça.

— É, Patrícia, parece que não vai ter outro jeito — Helinho opinou, ajeitando o boné na cabeça.

— Espere aí, pessoal, há uma outra maneira de resolver isso — falou Cacá, enquanto lançava um olhar ao redor. — A gente pode acampar por aqui mesmo e esperar o ônibus de manhã.

— Isso não! Eu é que não fico aqui sem tomar um banho — avisou Mônica, encarando os demais.

— Ih, que bobagem, Mônica — Patrícia disse, lançando um olhar desgostoso para a irmã. — Você pensa que eu também não estou incomodada com o calor? Olha só a minha camiseta, está inteirinha molhada...

— É isso mesmo, Mônica — Cacá concordou. — Quem é que não gostaria de tomar um banho agora, para tirar a poeira do corpo? Mas essa é uma situação de emergência.

— Escute, Mônica — intrometeu-se Helinho, recebendo um olhar de desprezo da menina —, você por acaso está pensando que nós vamos ficar hospedados num hotel cinco estrelas? A gente veio acampar, pô! Você vai ter que dormir no mato como todo mundo, seja aqui ou lá no *camping*.

— Você é tonto, Helinho — Mônica retrucou —, eu sei muito bem o que é acampar. Faz mais de sete horas que a gente está viajando e eu só estou querendo tomar um banho...

— Será que não existe nenhum riacho aqui por perto? — Patrícia perguntou, já convencida de que não havia muita escolha: ou caminhavam ou acampavam no local onde estavam.

— Talvez exista. Mas a gente só fica aqui em último caso. Agora acho que é hora de tentar...

A frase de Cacá ficou suspensa no ar, interrompida pelos gritos desesperados de Alex, que pulava e agitava os braços no meio da estrada.

— O que aconteceu, meu Deus? Será que alguma cobra picou o Alex? — perguntou Patrícia, segurando assustada o braço do namorado.

Rapidamente, todos correram ao encontro do companheiro, que, em vez de esperá-los, disparou na direção contrária, gritando e apontando alguma coisa no vale que existia do outro lado da estrada. Quando o grupo se aproximou da beira do precipício, a poucos metros de onde haviam desembarcado do ônibus, Alex tentava recuperar o fôlego e falar:

— Olha lá, gente... Vejam o que eu descobri...

Havia uma estrada estreita, que descia serpenteando em direção ao fundo do vale, entre pedras, árvores e montanhas. Mas não era isso que Alex apontava e sim um agrupamento de casas, que pareciam repousar tranquilamente em meio à paisagem.

— Oba, uma cidade, nós estamos bem pertinho de uma cidade — Patrícia exclamou, pulando e dando um beijo em Cacá.

— Pronto! Nosso problema está resolvido — comentou Helinho, já pensando em voltar para perto da árvore para recolher a bagagem.

— Quem sabe a gente encontra um hotel lá para passar a noite? — disse Mônica e olhou para ele de modo provocativo. — E nem precisa ser um cinco estrelas, não é mesmo?

— Vamos até lá? — perguntou Alex, voltando-se para Cacá.

Ele era o único que estava em silêncio. Com a mão no queixo e a testa franzida, Cacá olhava pensativo para o fundo do vale. E sem se mover, falou:

— Uma cidade... Que coisa estranha...

Todos dirigiram a atenção para ele, sem entender o motivo de seu espanto. Mantendo ainda a testa franzida. Cacá puxou o mapa do bolso e abriu-o na frente dos companheiros.

— Vejam que coisa esquisita: esta cidade não aparece aqui no mapa.

Os quatro fizeram um círculo silencioso em torno do papel desdobrado, atentos ao trecho indicado pelo dedo de Cacá.

— Nós estamos aqui, vejam bem. À esquerda está Bauru e mais ou menos aqui, à direita, deve estar o *camping* de Serra das Rosas. Reparem que a cidade mais próxima que aparece aqui no mapa é Pederneiras, que está bem depois do *camping* — mostrou, percorrendo o mapa com o dedo indicador. — Como é que esta cidade que a gente está vendo ali no vale não aparece aqui?

— Ué, vai ver que eles não colocam no mapa as cidades muito pequenas — arriscou Alex, desviando os olhos para o grupo de casas que aparecia iluminada pelo sol no fundo do vale.

— Não é isso, não, Alex — prosseguiu Cacá, ainda apreensivo, agora encarando os companheiros. — Este mapa é bem detalhado, e esta cidade não aparece aqui. Por que será?

— O que tem isso? — Helinho falou, abrindo os braços. — O importante é que a cidade existe e a gente pode ir até lá pra pegar um ônibus até o *camping*.

— Ótima ideia. Vamos logo que este sol está torrando a minha cabeça — Patrícia aderiu à sugestão de Helinho com um sorriso de satisfação.

Sem perder tempo, eles voltaram para perto da árvore e cada qual recolheu sua bagagem. Em seguida atravessaram a estrada e, passando por um trecho de mato, à beira do precipício, alcançaram o caminho estreito que, espremido entre as montanhas, descia em direção ao grupo de casas no vale. Todos — exceto Cacá — tinham se animado subitamente com a perspectiva de chegar à cidade, o que ficava claro pela excitação estampada no rosto de cada um. E enquanto desciam com cuidado a estrada cheia de pedregulhos, Cacá ouvia em silêncio as conversas e brincadeiras dos companheiros. Ele continuava encucado com a ausência daquela cidade no mapa que carregava no bolso. "O que aquilo significava?", perguntava-se mentalmente, olhando para as casas pintadas em cores claras que ficavam cada vez mais próximas. Havia alguma coisa errada, Cacá refletiu, e o fato de não saber o que era estava deixando-o inquieto. Passou a mão pelos cabelos encaracolados e foi nesse momento que uma nuvem escura encobriu o sol. O fenômeno fez com que um arrepio estranho percorresse o corpo de Cacá, provocando-lhe um estremecimento. E ele teve a sensação de que alguma coisa muito ruim estava para acontecer.

3. A CIDADE

"Bem-vindo a Aurópolis." Era isso que estava escrito numa placa de metal enferrujada e amassada na entrada da cidade. O grupo se deteve diante da placa e, por alguns segundos, todos permaneceram em silêncio, como se avaliassem as ruas de terra e as casas com a pintura descascada que viam. Cacá voltou a sacar o mapa do bolso e conferiu-o mais uma vez antes de falar:

— Que esquisito... Aurópolis... Nunca ouvi falar desta cidade.

— Bom, pelo menos esta placa está dando boas-vindas — comentou Patrícia, que ainda mantinha no rosto uma expressão animada.

— O que a gente está esperando? — Mônica perguntou, demonstrando sua impaciência. — Vamos ver se existe algum ônibus que vá até o *camping*...

— Boa ideia — falou Helinho, enquanto ajeitava as mochilas nas costas. — Esta cidade deve ter uma rodoviária e é lá que a gente vai conseguir essa informação.

Como se houvessem concordado com a proposta de Helinho, todos começaram a caminhar, entrando em Aurópolis. Mas se por acaso alguém tivesse olhado para trás naquele momento teria visto o aviso rabiscado com tinta branca no verso enferrujado da placa: "Fique longe de Aurópolis" diziam os garranchos, desmentindo as boas-vindas contidas na frente.

Porém ninguém reparou nisso e a primeira coisa que chamou a atenção do grupo foram as ruas totalmente desertas e o silêncio absoluto que reinava no lugar, interrompido apenas pelo ruído dos passos no chão de terra. As casas estavam desgastadas pela ação do tempo e tinham as portas e janelas fechadas — e, sem exceção, as construções pareciam necessitar urgentemente de reforma e pintura.

— Engraçado como a cidade está quieta — comentou Alex, olhando para o prédio da prefeitura de Aurópolis, conforme informava uma desbotada inscrição em sua fachada.

— Pelo jeito o pessoal daqui já entrou no clima do feriado — disse Patrícia, que teve sua atenção despertada pelas portas de vidro fechadas do Banco do Brasil, que funcionava numa velha casa de dois andares.

Igualmente fechados e em silêncio estavam um bar, uma funerária e uma farmácia que os cinco amigos avistaram à medida que avançavam pela rua. Quando chegaram a uma esquina, eles se detiveram para observar de perto um Fusca arruinado, estacionado em frente a uma casa com portão de ferro. O mato tomara conta do jardim e as janelas da casa tinham os vidros quebrados. O carro, além de velho e empoeirado, tinha teias de aranha em seu interior, como Helinho constatou:

— Nossa! Deve fazer um século que este Fusca está largado aqui — disse, chutando seguidamente o pneu murcho do carro.

Alex, cansado da caminhada, sentou-se no meio-fio, no que foi imitado por Patrícia e Mônica. Helinho voltou sua atenção para Cacá, que, de braços cruzados, olhava para as casas silenciosas:

— E aí, Cacá, o que fazemos agora? Parece que não mora ninguém nesta cidade...

— É isso que está parecendo — ele concordou, encostando-se no portão de ferro da casa. — Mas o que pode ter acontecido com o povo daqui?

— Vai ver deu alguma epidemia e todos morreram... — opinou Helinho, atento à reação que sua frase provocaria em Mônica.

— Meu Deus! — a menina agitou-se, levantando-se rapidamente do meio-fio. — A gente pode estar correndo perigo de se contaminar... Vamos embora, Cacá.

— Ou então foi algum acidente nuclear — Helinho prosseguiu, doido de vontade de rir. — Outro dia eu vi um filme em que toda a população de uma cidade morre por causa do vazamento de uma usina nuclear. As únicas coisas que resistiram à radiação foram as casas, igualzinho aqui...

Mônica arregalou os olhos e, segurando Cacá pelo braço, praticamente implorou para saírem dali. Nesse momento, Alex pôs-se de pé e repreendeu Helinho:

— Pare de assustar a Mônica com essas bobagens. Acho que a gente ganha muito mais se continuar procurando. Não é possível que não exista ninguém por aqui.

— Taí uma boa ideia — Patrícia animou-se, levantando-se também.

— O que você acha, Cacá?

— Tá certo. Vamos continuar procurando — ele concordou, limpando o suor da testa.

Reiniciaram a caminhada e encontraram um cenário muito parecido em todas as ruas que percorreram: casas decrépitas, com janelas e portas quebradas, e um silêncio inquietante. Até que chegaram a uma pequena praça, também completamente invadida pelo mato — que parecia ser o centro de Aurópolis. Entre as construções que rodeavam a praça, havia uma igreja com a pintura descascada, um prédio cinza, cuja fachada anunciava ser ali a delegacia de polícia, e um velho cinema, que tinha afixado em sua frente um cartaz de filme estragado pela chuva e pelo sol.

Mas foi um prédio enorme do outro lado da praça que despertou a atenção do grupo. Patrícia foi a primeira a perceber a novidade e deu o alarme:

— Olhem — ela berrou, apontando para o edifício de cor branca —, um hotel.

Era uma construção de quatro andares com sacadas, que exibia o nome Hotel Majestic em letras em relevo na sua entrada. E, apesar de algumas manchas nas paredes, parecia estar em melhores condições do que todas as outras casas da cidade. Os cinco companheiros atravessaram a praça rapidamente e se aproximaram do hotel. Adiantando-se ao grupo, Cacá subiu os três degraus da escada e experimentou a porta de vidro fumê, que não ofereceu nenhuma resistência.

— Muito bem, meninos, quem sabe a gente consegue tomar um banho aqui? — ele perguntou, segurando a porta aberta para que todos entrassem.

— Se bem que a gente ia tomar banho de qualquer jeito. — Alex, o último a entrar no hotel, indicou as nuvens carregadas que iam se agrupando no céu, encobrindo pouco a pouco o sol da tarde de sexta-feira.

Com seu carpete azul-marinho e um balcão de madeira escura, a recepção do Hotel Majestic, ainda que empoeirada e cheirando a mofo, poderia ser considerada luxuosa se comparada com as condições precárias das casas de Aurópolis. Enquanto os demais avaliavam a entrada do hotel, Helinho livrou-se das malas e postou-se atrás do balcão da recepção:

— Muito bem, senhores, o que vão querer? Temos apartamentos para casais, com TV e hidromassagem — ele brincou, engrossando a voz.

Todos riram e Alex, aproximando-se de um interruptor, acionou-o seguidas vezes antes de falar:

— Mas energia elétrica que é bom não temos, né?

— Do jeito que estou grudando, eu tomo banho frio mesmo — anunciou Patrícia, percebendo que seu namorado ainda mantinha uma expressão preocupada no rosto. — O que foi, Cacá? Está com medo de que o gerente do hotel apareça?

— Não é isso, não — ele respondeu e apontou, através da porta de vidro, para o redemoinho de poeira que o vento levantava na praça. — Veja como escureceu. Daqui a pouco vai cair um senhor temporal e a gente não tem luz aqui.

Helinho vasculhou as gavetas da recepção e não demorou muito para encontrar um pacote de velas, que exibiu com ar de triunfo:

— Sem problemas, senhor — falou, ainda com a voz impostada —, temos velas para todos aqui.

Cacá sorriu, fazendo desaparecer as rugas de preocupação de sua testa. Arrastando os equipamentos de *camping* pelo carpete, comandou:

— Muito bem, vamos ver se a gente se instala, então. Helinho, distribua as velas.

— Nós vamos ficar aqui? — perguntou Mônica, enquanto pegava uma das velas.

— Bom, hoje pelo menos. A não ser que você tenha alguma ideia melhor — disse Cacá, recebendo como resposta um muxoxo conformado da garota.

Depois de apanhar a chave na recepção, Patrícia e Mônica subiram as escadas de madeira e ocuparam um apartamento do primeiro andar, enquanto Cacá e Alex optaram por permanecer em um outro, localizado no térreo. Helinho pretendia ficar no mesmo local, mas desistiu quando verificou que ali só existiam duas camas. Foi então para o apartamento vizinho e, depois de colocar suas bagagens em um canto, saltou sobre a cama para verificar se o colchão era macio, o que levantou o pó que se acumulara sobre o lençol.

    Quando Cacá entrou no banho no apartamento ao lado, Alex saiu e foi até a recepção, onde pegou várias chaves e subiu as escadas para iniciar uma inspeção nos outros andares do hotel.

    No banheiro do apartamento do primeiro andar, Patrícia ficou satisfeita quando acionou o registro e, depois de segundos, a água jorrou do chuveiro. Ela se despiu e entrou no banho. Enquanto isso, Mônica, que permanecia sentada no quarto, percebeu que a escuridão ia aumentando e resolveu acender a vela, colocando-a sobre o criado-mudo. Embora não tivesse gostado das sombras fantasmagóricas que a chama projetava no guarda-roupa, a menina resolveu deixar isso de lado e abriu as mochilas para retirar suas roupas e um caderno de capa dura.

    No térreo, Cacá ensaboava o corpo cantarolando uma música do Legião Urbana, quando, subitamente, a porta do boxe se abriu e apareceu a cara de Helinho.

    — O que foi? Algum problema? — Cacá perguntou, tentando livrar-se da espuma que entrava em seus olhos.

    — Ah, você está cantando... — Helinho disse e riu. — Ouvindo a sua voz ali do quarto ao lado, eu pensei que você estivesse passando mal.

    — Engraçadinho — Cacá rebateu. — Quer me enganar que você canta melhor...

    Helinho riu outra vez e, antes de fechar o boxe, disse:

    — Qualquer um canta melhor do que você, Cacá. Aposto que desafina até no *Parabéns a você*.

    Alheio às brincadeiras dos companheiros, Alex prosseguia sua inspeção nos apartamentos. Estava no quarto andar do hotel e, a exemplo do que fizera nos outros pavimentos, abriu um apartamento e verificou que também este nada apresentava de especial. Em todos os andares, os apartamentos tinham uma cama de casal ou duas de solteiro, um guarda-roupa e um criado-mudo, além de uma cadeira, tudo igualmente empoeirado. Dando por encerrado seu exame, Alex fechou a porta e caminhou em direção às escadas. Os trovões reverberavam com violência no corredor, iluminado a todo instante pelos raios e relâmpagos. "Vai cair o maior toró", Alex pensou, contente por estar abrigado no hotel.

Então ele desceu as escadas a fim de também se refrescar com um banho frio.

4. UM FANTASMA NO CORREDOR

— Já resolvi: a gente fica aqui até amanhã depois do almoço — Cacá informou, espreguiçando-se no sofá da recepção. — Um pouco antes das três da tarde, voltamos à estrada lá em cima e esperamos o ônibus para chegar até o *camping*.

De banho tomado, ele, Patrícia e Alex estavam sentados em frente a uma mesinha de centro, iluminados por duas velas. Lá fora, a tempestade de vento uivava.

— Cadê a Mônica? — perguntou Alex, levantando-se do sofá e espiando a chuva pela porta de vidro do hotel, como se pudesse enxergar alguma coisa na escuridão lá fora.

— Ela está no quarto, escrevendo em seu diário — respondeu Patrícia, acrescentando: — A Mônica deve ter muita coisa pra anotar depois dessa viagem de hoje.

— Mal ou bem, pelo menos aqui estamos protegidos da chuva — Alex comentou, enquanto voltava a sentar-se. — Com uma tempestade dessas, a gente ia passar apertado no *camping*, você não acha, Cacá?

— Isso é verdade. Que barraca ia aguentar um temporal como este?

— Sabe que eu não acho má ideia se a gente cancelar o *camping* e ficar aqui mesmo no hotel até segunda-feira? — Patrícia falou, o que provocou risos em Cacá e Alex.

Nesse momento, no quarto, Mônica, que havia terminado suas anotações fechou o diário e colocou-o na mochila. Em seguida, pegou a vela que estava sobre o criado-mudo e preparou-se para sair. Estava com fome e calculou que seus companheiros a esperavam na recepção para cuidar do jantar. No momento em que fechou a porta do apartamento e colocou a chave na fechadura para trancá-la, Mônica teve a impressão de ter ouvido um estranho gemido.

Sem coragem de olhar para o fim do corredor, de onde viera o ruído, ela sentiu-se paralisada e permaneceu segurando a chave, sem forças para girá-la. Um novo gemido, mais forte, fez com que seu corpo se arrepiasse. Se pudesse, Mônica gritaria. Ou então sairia correndo, mas, como às vezes acontece nos sonhos, suas pernas não a obedeciam.

Com um grande esforço, olhou para trás e viu sua sombra projetada pela luz da vela. E desta vez ouviu um gemido prolongado, mais intenso e mais próximo. Suas pernas amoleceram, como se ela fosse desmaiar a qualquer momento. E, num último ímpeto de coragem, olhou para o fundo do corredor, de onde achava que partiam os gemidos. Ele estava lá.

Os olhos arregalados de Mônica viram um vulto branco que, segurando uma vela acesa, gemia e caminhava lentamente, arrastando os pés pelo carpete do corredor. Ela sentiu o arrepio chegar à cabeça e foi nesse instante que a vela que carregava se apagou. Mônica se descontrolou e, gritando desesperadamente, saiu correndo na escuridão em direção às escadas, no que foi seguida pelo vulto, que agora gemia ainda mais alto.

A menina só não rolou pelos degraus porque, atraídos por seus gritos, Cacá e Alex já subiam e tiveram tempo de ampará-la. Substituindo os gemidos por gargalhadas, o vulto chegou até a escada e encarou os três. E, num movimento rápido, removeu o lençol com o qual se cobria: era Helinho.

Cacá teve de se esforçar para conter Alex, que tentava subir as escadas para agredir Helinho, xingando-o de estúpido e gritando que aquilo passara dos limites. Mônica permaneceu sentada em um degrau, tremendo muito e soluçando, ainda descontrolada.

— O que aconteceu, meu Deus? — perguntou Patrícia, ao aproximar-se com uma vela na mão e deparar com a irmã naquele estado.

— Me largue que eu vou dar uma lição nesse idiota — berrava Alex, tentando libertar-se das mãos de Cacá.

— Calma, Alex, deixe que eu cuido disso — Cacá falou, encostando seu companheiro na parede. — Eu vou ter uma conversa com o Helinho.

— Fique calma, Mônica — pediu Patrícia, enquanto se agachava e abraçava a irmã. — Foi só uma brincadeira, já acabou.

Por fim, Alex desistiu de acertar contas com Helinho e, soltando-se das mãos de Cacá, ajudou Patrícia a colocar Mônica em pé, conduzindo-a para a recepção. Cacá cruzou os braços e permaneceu parado na escada, encarando Helinho, que ainda ria.

— Acho que desta vez você exagerou, Helinho. Isso foi estupidez: você quase mata a Mônica de susto.

Os olhos arregalados de Mônica viram um vulto branco que gemia e caminhava lentamente.

— Ah, que besteira. Foi tudo brincadeira. Quem mandou ela ser tão nervosa? — Helinho se defendeu, livrando-se do lençol que ainda pendia de seu corpo.

— Vou avisar pela última vez: chega dessas brincadeiras bobas, está me ouvindo? — Cacá falou, de dedo em riste, e o tom severo de sua voz não deixava espaço para dúvidas. — Da próxima vez eu não vou segurar o Alex.

— Ah, ah, e você pensa que eu tenho medo dele? Ele que banque o valente comigo pra ver o que acontece.

— Bom, depois não diga que eu não avisei — advertiu Cacá, começando a descer a escada. — Você está abusando com essas brincadeiras e eu não vou tolerar isso, está certo?

— Tá bom, chefe — respondeu Helinho, rindo outra vez e dobrando o lençol que retirara de sua cama.

5. SURPRESA PARA O JANTAR

À luz de velas e usando o balcão da recepção como apoio, Patrícia e Mônica começavam a preparar os sanduíches para o jantar quando Alex e Cacá apareceram, vindos do corredor que levava ao apartamento que eles ocupavam.

— Meninas, suspendam os sanduíches porque eu tenho ótimas notícias — avisou Cacá, sorrindo. — Venham dar uma espiada no que eu e o Alex descobrimos.

Intrigadas, as duas irmãs se entreolharam e, deixando de lado os preparativos dos sanduíches, acompanharam a dupla em direção ao fim do corredor, seguindo a luz das velas que os dois empunhavam. Cacá deteve-se diante de uma porta larga, sorriu novamente e fez suspense:

— Tchan, tchan, tchan... Adivinhem o que temos aqui...

Num movimento rápido, ele empurrou a porta. E, apesar da fraca iluminação que as velas produziam, Patrícia e Mônica puderam ver um cômodo amplo, ocupado por uma mesa retangular, um grande fogão, armários, pia e um enorme refrigerador. Patrícia compreendeu na hora o que estava vendo:

— A cozinha do hotel, gente!

25

— E isso não é nada, Patrícia. — Alex avançou e acionou os botões do fogão. — Eu testei isso aqui agora e descobri que o fogo está acendendo normalmente.

Patrícia e Mônica permaneceram por alguns segundos observando fascinadas as chamas azuladas que saíam das diversas bocas do fogão e iluminavam um pouco mais o ambiente. Mas a surpresa ainda não estava completa e Cacá se encarregou de prosseguir:

— O mais importante está aqui, meninas.

Escancarando as portas de um dos armários, ergueu a vela, para que as garotas pudessem ver o que ele continha: uma infinidade de latarias e pacotes.

— O que é isso, afinal? — perguntou Mônica, aproximando-se para ver melhor.

— Comida, menina, muita comida — revelou Cacá, triunfante.

— Credo, mas isso tudo deve estar estragado... — opinou Patrícia, retirando do armário uma lata de salsichas e aproximando-a da vela que o namorado segurava.

— Nada disso, Pat. Veja a data de vencimento no fundo da lata — Cacá sugeriu. — Eu e o Alex já conferimos: está tudo dentro do prazo de validade. Acho que vamos poder preparar um jantar e tanto.

— Que coisa esquisita... — Mônica franzia a testa e olhava o interior do armário. — Como é que pode um negócio desses, essa comida toda largada aqui?

— Já pensei nisso, Mônica — disse Cacá, enquanto fixava a vela num pingo de cera sobre a mesa. A única explicação que encontrei é a de que não deve fazer muito tempo que o pessoal deixou este hotel.

— Mas para onde foram todos? E por que abandonaram tudo deste jeito? — Patrícia, que ainda segurava a lata de salsichas, encarou Cacá e Alex.

— Pois eu tenho uma informação que vai deixar vocês de boca aberta. — A voz de Helinho, que entrava na cozinha com sua vela, fez com que todos se voltassem. — Acabei de pesquisar nos livros do hotel: faz mais de quatro anos que o último hóspede se registrou aqui.

— Meu Deus — exclamou Mônica, levando a mão à boca. — Então como é que se explica toda essa comida ainda boa por aqui?

— E se alguém esteve aqui depois disso e não se registrou como hóspede? — Alex perguntou e, como ninguém tinha uma resposta, completou: — Vejam o caso do fogão: tem gás e está funcionando direitinho. Como se explica isso?

— Não estou gostando nem um pouco desta situação. — Patrícia aproximou-se do namorado. — Por mim, a gente ia embora daqui agora mesmo.

— Com essa chuva, Pat? E pra onde a gente iria a esta hora? — Cacá olhou para seus companheiros, numa tentativa de dividir a decisão.

— Vamos deixar de bobagem, gente, e preparar o jantar, que eu estou com uma baita fome — Alex sugeriu, retirando mais latas do armário.

— Grande ideia — concordou Helinho, fixando também sua vela na mesa e esfregando as mãos. — Vejam que chique: vai ser um jantar à luz de velas.

— Eu não vou nem chegar perto dessa comida. E se estiver estragada? — Mônica fez mais uma de suas caretas.

— Bom, quem preferir pode ficar com os sanduíches — disse Helinho, abrindo o outro armário em busca das panelas.

— A comida está boa, Mônica. Confira você mesma as datas de vencimento. — Cacá entregou um vidro com palmitos para a menina, que continuava desconfiada. — Além do mais, se alguma coisa estiver estragada, a gente logo percebe.

— É isso mesmo, Mônica — Patrícia juntou-se ao entusiasmo dos rapazes, forçada por seu estômago vazio. — Agora deixe de besteira e ajude a gente a preparar alguma coisa.

Utilizando-se de diversas latas retiradas do armário, em poucos minutos Cacá e as duas meninas prepararam uma refeição cujo cheiro arrancou exclamações de entusiasmo de Helinho e Alex. Eles nem esperaram que a comida ficasse pronta para ocupar seus lugares à mesa da cozinha. Remexendo nos outros armários, Cacá acabou por descobrir garrafas de vinho, que deram ao jantar um clima solene, acentuado ainda mais pelas velas que iluminavam o grupo. A única que inicialmente resistiu foi Mônica. Mas depois, vendo a expressão de prazer com que seus companheiros dividiam as salsichas com palmito e milho-verde, também aderiu à comilança com todo seu apetite.

6. UM VULTO NA CHUVA

— Uhannn... — Helinho bocejou e espreguiçou-se diante do prato vazio. — Esse vinho me deu um sono danado.

E não era difícil perceber que a bebida tivera um efeito parecido em todos ali, o que era agravado pelo cansaço do dia. Alex e Mônica tinham a mesma expressão sonolenta, enquanto Patrícia já arrastara sua cadeira para perto do namorado, encostando seu corpo no dele.

Um a um, eles foram deixando a cozinha e se dirigindo para seus quartos. O primeiro a sair foi Helinho, seguido logo depois por Mônica, cada um com sua vela. Alex ainda lutou contra o sono por alguns instantes, mas percebendo que Cacá e Patrícia, abraçados, se beijavam e sussurravam, sentiu que estava sobrando ali. Então, murmurando um boa-noite para o casal, dirigiu-se para o apartamento que ocupava com Cacá.

Ao chegar à porta do quarto, Alex ficou um longo tempo parado. Alguma coisa se passava dentro dele, sem que conseguisse compreender direito o que era. Naquele momento, apesar da sonolência e do cansaço, sentia vontade de subir para conversar com Mônica. Ao mesmo tempo, estava confuso e temia que ela não o entendesse. Além do mais, pensou, entrando finalmente no quarto, aquela não era a melhor hora para falar com Mônica.

Deitado na cama, naquele estado entre a vigília e o sono, ele sorriu do frio na barriga que a ideia de conversar com a menina provocava. Nem mesmo sabia se teria coragem para isso. Mas de uma coisa estava certo: essa conversa teria de acontecer longe dos outros.

"Sexta-feira, 4 de setembro — Engraçado, eu era para ter ficado em São Paulo neste feriado. Vim mais por causa da insistência do papai. Acho que ele quis que eu viesse por causa da Patrícia e do Cacá, já que ele não gosta muito que os dois viajem sozinhos. E veja no que deu, eu nunca ia imaginar um negócio desses. A gente se conhece há tanto tempo, mas só hoje eu senti que ele me olha diferente. E quando isso acontece, eu sinto uma coisa por dentro que ainda não sei explicar, só sei que é uma sensação boa. E pelo jeito com que a Pat e o Cacá olham para a gente, acho que eles já perceberam o que está rolando."

Mônica estava deitada na cama, segurando uma vela, enquanto com a outra mão fazia essas anotações em seu diário.

Ela ergueu a cabeça e ficou olhando o movimento das sombras que a luz da vela extraía das camas e do guarda-roupa.

"Seria tão bom se ele estivesse aqui agora pra gente conversar", prosseguiu escrevendo lentamente. Mônica manteve a caneta suspensa no ar, fitou a porta e sorriu.

E como num passe de mágica, ouviu três batidas suaves na porta. Mônica arregalou os olhos, sentiu o coração aos atropelos e, por alguns segundos, achou que sua imaginação estava lhe pregando uma peça. Só quando ouviu novamente as três batidas é que fechou o diário, saltou da cama e ficou por alguns instantes parada no meio do quarto, sem saber como agir. Por estar nervosa, levou a mão à boca para roer as unhas.

Mônica ouviu mais uma vez o toque suave na porta e, reunindo toda sua coragem, passou a mão pelos cabelos, ajeitando-os e preparou--se para receber seu visitante. Percebeu que estava trêmula e, tentando se controlar ao máximo, alcançou a maçaneta e girou-a, mantendo no rosto uma indisfarçável expressão de alegria. Ao abrir a porta, porém, a frustração misturou-se ao susto e Mônica ficou paralisada. E quando tentou reagir, já era tarde.

Cacá e Patrícia ainda permaneciam na cozinha do hotel. Ele consultou o relógio e viu que eram quase onze da noite. Livrando-se delicadamente do abraço da namorada, levantou-se e espreguiçou-se, antes de comentar:

— Acho que é hora de ir pra cama, Pat. Antes de sair daqui amanhã, eu gostaria de dar uma olhada melhor nesta cidade e descobrir o que é que aconteceu aqui de verdade.

— Você também não achou as casas engraçadas? — Patrícia perguntou, apoiando-se na mesa para levantar-se. — Parece coisa de filme de faroeste...

Cacá ia responder que também tivera a mesma impressão, mas o som nítido de sinos badalando fez com que ele se sobressaltasse. A reação de Patrícia foi agarrar-se ao namorado.

— Credo, o que será isso? — ela disse, ouvindo claramente os sinos.

Apanhando uma das velas, Cacá puxou-a pela mão e ambos se dirigiram para o corredor que levava à recepção. O temporal prosseguia com trovões e relâmpagos, em cujo intervalo escutava-se o assustador repicar dos sinos. Cacá colou o rosto na porta de vidro fumê, mas não conseguia enxergar nada na escuridão.

— Parece que são os sinos da igreja — ele comentou, forçando a vista na direção da praça.

— Mas o que é que está acontecendo aqui? — Era Alex que, despertado pelo som das badaladas, juntou-se a Cacá e Patrícia perto da porta, exibindo os cabelos despenteados e o rosto sonolento. — Quem é que está tocando esta porcaria a esta hora?

Quando um relâmpago prolongado iluminou a praça, os três sentiram o sangue gelar: um vulto andava sob a chuva, segurando uma espécie de lampião. O grito da Patrícia assustou ainda mais seus dois companheiros:

— Aaaii, um fantasma!

Por alguns segundos, Cacá segurou firme a mão da namorada, tentando acompanhar a trajetória da figura, que caminhava lentamente ao redor da praça, como se não se importasse com a chuva grossa. Tenso, ele ouvia cada badalada do sino e sentia que sua mão estava molhada de suor:

— Mas o que é isso, afinal de contas?

Foi nesse instante que Alex começou a rir, o que fez com que o casal se voltasse para ele, ambos curiosos com aquela reação inesperada.

— Gente, vocês ainda não perceberam? — Alex balançava a cabeça, divertido. — É aquele bobo do Helinho outra vez. Ele está querendo nos pregar um susto e não se importa nem em tomar esta chuva pra conseguir isso.

Por um segundo, Cacá conseguiu relaxar, sentindo que a mão de Patrícia ainda apertava a sua com força. Em seguida, ele dirigiu um olhar estranho para Alex:

— Espere aí. Se é o Helinho o vulto lá fora, quem é que está tocando os sinos?

A lógica da pergunta fez com que os três voltassem a procurar pela estranha figura na escuridão da praça. Mas uma voz por trás deles fez com que estremecessem:

— O que está acontecendo? Vocês estão vendo fantasmas?

Era Helinho, que saía pela porta do apartamento, com cara de quem tinha acordado naquele momento.

Quando um relâmpago iluminou a praça, os três sentiram o sangue gelar: um vulto andava sob a chuva...

— Aaaaiiii! — berrou Patrícia, puxando Cacá para longe da porta de vidro. — É um fantasma de verdade!

— Calma, Pat — Cacá tentou controlar a namorada, terminando por derrubar sua vela no carpete. — Ei, cuidado, senão a gente provoca um incêndio aqui.

Helinho aproximou-se de Alex, que ainda mantinha o rosto colado na porta, tentando enxergar o vulto à luz das descargas elétricas. O badalar dos sinos cessou e, quando um clarão iluminou o céu, tudo o que eles conseguiram enxergar foi a praça vazia.

— A coisa sumiu — anunciou Alex, voltando-se na direção do sofá da recepção, onde Cacá tentava acalmar uma Patrícia apavorada.

Helinho continuou olhando para fora, sem entender direito o que estava acontecendo. Quando Cacá explicou o que havia ocorrido, sua primeira reação foi querer sair para conferir de perto a aparição:

— Esse negócio de fantasma é bobagem. Tem alguém brincando com a gente nesta cidade, isso sim. Quem vai comigo lá fora? Você vem, Alex?

— Eu? Nãão... Quer dizer, de que vai adiantar sair nesta escuridão e com esta chuva? — perguntou Alex, tentando disfarçar o medo. — Não é melhor esperar até amanhã pra dar uma olhada?

Helinho fitou com desprezo o companheiro e também Patrícia, que abraçada a Cacá dizia que não ficaria nem mais um minuto naquele lugar. Contrariado, ele sentou-se também no sofá e suspirou:

— Pena que a Mônica esteja perdendo este espetáculo...

— Meu Deus! — berrou Patrícia ao ouvir o nome da irmã — Ela está sozinha lá em cima.

De um salto, ela pôs-se em pé e disparou pelas escadas, sendo acompanhada por Cacá e Alex. Antes de também subir, Helinho ainda olhou pela porta do hotel, mas só conseguiu ver as colunas de chuva impulsionadas pelo vento que fustigavam a praça.

7. CENAS DE HISTERIA

Amparada pelo namorado, Patrícia chorava convulsivamente, ainda chocada pela cena que encontraram quando chegaram ao primeiro andar do hotel. A porta do apartamento estava aberta, o diário de Mônica e uma vela apagada estavam caídos no corredor. Mônica havia desaparecido e de nada adiantou gritar por seu nome na escuridão do hotel. Cacá e Patrícia, depois de dar uma busca no primeiro andar, voltaram para o sofá da recepção, onde permaneceram aguardando por Alex e Helinho, que vasculhavam o resto do prédio em busca da garota.

— Meu Deus, o que aconteceu com ela, Cacá? — Patrícia soluçava, agarrada a Cacá.

— Calma, Pat, não aconteceu nada. Ela tem que estar em algum lugar — era tudo o que ele conseguia dizer na tentativa inútil de consolá-la. — Já, já nós vamos encontrar a sua irmã, você vai ver.

— Pra onde é que ela foi? Ela não pode ter sumido assim...

— Procure manter a calma, Pat. Daqui a pouco ela aparece e você vai ver que está tudo bem...

No fundo, Cacá também estava aterrorizado. Ele não fazia a menor ideia do que poderia ter acontecido com a irmã da namorada. Sabendo como Mônica era medrosa, Cacá já havia afastado de cara a possibilidade de que ela estivesse fazendo alguma brincadeira. Sua esperança era que Helinho e Alex encontrassem a menina em alguma parte do hotel.

— Nem sombra da Mônica, Cacá — avisou Helinho, que descia a escada empunhando sua vela, em companhia de Alex. — Ela evaporou...

— Nós procuramos em todos os apartamentos — Alex contou, sentando-se extenuado no sofá. — Não há nada em lugar nenhum.

— Eu quero ir embora daqui — ao ouvir a frase de Alex, Patrícia passou a gritar, à beira da histeria, e a bater com os punhos fechados no peito do namorado. — Você foi o culpado disso, Cacá...

— Calma, Pat, você está muito nervosa. — Cacá tentou afagar os cabelos da menina, mas ela afastou sua mão num gesto brusco.

— Vamos embora daqui — ela prosseguia, entre soluços. — Foi ideia sua vir para o *camping* e foi você que fez a gente parar neste lugar horrível.

Cacá colocou as duas mãos na cabeça e curvou-se para a frente, sem saber o que fazer naquele momento. Vendo a cena, Alex começou também a entrar em pânico:

— Nós não podemos ficar aqui, Cacá. Ainda vai acontecer alguma coisa pior. Primeiro foram os sinos e aquela coisa na praça. E agora o sumiço da Mônica. Este lugar é mal-assombrado...

33

Cacá levantou a cabeça e encarou o amigo: ele sabia que, se perdessem a calma, as coisas só iriam piorar. Mas como conter duas pessoas que estavam ficando histéricas? Helinho veio em seu socorro:

— Pare de bancar o marica, Alex. E você, Patrícia, veja se controla os nervos. Nós não podemos sair daqui sem a Mônica.

O tom da voz de Helinho revelou uma nova pessoa, bem diferente do amigo brincalhão que todos conheciam. Patrícia conteve por instantes o choro e ficou fungando, enquanto Cacá e Alex olhavam para o menino de boné parado à frente deles.

— Onde já se viu você falar em assombração, Alex? Isso é coisa de livros e filmes e de gente supersticiosa. Fantasmas não existem, pô! — Helinho prosseguiu, agora com mais segurança.

— Você diz isso porque não viu aquela coisa andando pela praça, debaixo da chuva... — defendeu-se Alex, cuja voz denunciava todo o pavor que ele sentia.

— Pois eu não acredito em nada disso — Helinho rebateu. — O que a gente precisa agora é de um pouco de coragem.

— Muito bem, valentão, o que você acha que nós devemos fazer, então? — perguntou Patrícia, recebendo um olhar duro de Helinho.

— Eu não sei, mas entrar em pânico não vai ajudar nada. Vamos esperar amanhecer o dia e aí nós encontraremos a Mônica, você vai ver. O que você acha, Cacá?

Cacá concordou com um movimento de cabeça, ainda chocado com o comportamento da namorada. E ficou feliz por Helinho estar presente àquela viagem. Se não estivesse, ele não saberia como agir, embora fosse o mais velho e, de certa forma, o responsável pelo grupo.

— Eu não vou ficar nem mais um minuto neste hotel — avisou Patrícia, levantando-se do sofá e limpando as lágrimas do rosto. — Vou embora agora mesmo.

— Pode ir, se quiser — Cacá explodiu de repente, de maneira ríspida. — Só que vai sozinha... Quero ver pra onde você vai a esta hora.

Patrícia mordeu o lábio e olhou com desgosto para o namorado. Tornando a soluçar, ela falou:

— Eu vou ligar para o meu pai e pedir pra ele trazer a polícia aqui.

Cacá levantou as sobrancelhas, numa careta de desdém. E perguntou onde a namorada pensava que iria encontrar um telefone naquele lugar. Diante disso, ela sentou-se no sofá e, colocando as mãos no rosto, passou a chorar desesperadamente, balbuciando palavras desconexas, entre as quais era possível identificar o nome da irmã. Seu namorado levantou-se, passou a mão pelo rosto cansado e foi até a porta de vidro, onde permaneceu espiando a chuva. Alex sentou-se ao lado de Patrícia e ficou alisando os cabelos da menina, na tentativa de consolá-la.

— Tá feia a coisa, né, Cacá? — Era Helinho que se aproximava do amigo, na porta do hotel, e colocava a mão em seu ombro.

— Puxa se está. Eu pagaria para saber onde a Mônica se enfiou... E a Patrícia agora resolveu que eu sou o culpado de tudo...

— Ela está muito nervosa, só isso. Mas o jeito agora vai ser esperar o dia clarear. Com essa chuva e essa escuridão a gente não vai poder fazer nada mesmo.

Cacá olhou para a namorada, que chorava ruidosamente, e depois voltou a fixar sua atenção na praça. Lentamente, a chuva ia diminuindo e os relâmpagos se tornando cada vez mais raros. Ele consultou o relógio e percebeu que tinham uma longa noite pela frente.

Helinho, por seu lado, perdia-se em reflexões. Minutos antes, se alguém tivesse aceitado seu convite para sair do hotel e dar uma busca na praça, ele estaria enrascado, pois não teria coragem de levar a ideia até o fim. Na verdade, havia blefado. E, agora, em vez de alívio, experimentava uma incômoda sensação de covardia.

Encostado no vidro da entrada do Hotel Majestic, Helinho reviveu um episódio que o perturbava bastante. Um ano e meio antes, a casa em que ele morava com seus pais e um irmão menor em São Paulo fora invadida por dois assaltantes e a família permanecera por horas sob a mira de armas. Helinho nunca mais conseguira afastar da memória esse acontecimento. E o que mais o angustiara na época tinha sido a impotência diante dos revólveres dos assaltantes.

Ele se lembrava de um momento durante aquele assalto: enquanto um dos ladrões vasculhava a casa, o outro mantivera-se na sala, vigiando os moradores que se amontoavam no sofá. De repente o assaltante se distraíra, falando com o outro, que saqueava um dos quartos. Helinho estava muito próximo do homem e vivera aquela fração de segundo em que um gesto poderia alterar por completo uma situação. O menino pensou em saltar sobre o homem, para tentar desarmá-lo. O desejo tinha durado apenas um instante e faltara coragem para tomar essa atitude. Muito tempo depois ele ainda se lembrava da cena e remoía a dúvida sobre o que poderia ter acontecido se, conforme julgava, não tivesse se

35

acovardado. O fato é que, a partir daquele assalto, Helinho passou a fingir, quando as ocasiões exigiam, uma coragem que não possuía.

8. SESSÃO DE CINEMA

Ao amanhecer, as nuvens de chuva tinham se dissipado completamente, dando lugar a um céu limpo que, aos poucos, era iluminado pelo sol que surgia por trás das montanhas. No vale, a única lembrança da tempestade da noite anterior era a vegetação molhada, que brilhava na claridade da manhã.

Helinho abriu os olhos com dificuldade, piscando seguidas vezes por causa da luminosidade. Quando a vista se acostumou à luz, ele ainda permaneceu imóvel por alguns instantes, tempo que gastou para compreender onde estava. Ao mexer-se, sentiu o corpo dolorido por causa da posição em que havia cochilado. À sua frente, o carpete azul-marinho e o sofá, onde Alex e Patrícia dormiam encostados um ao outro. Esticado na poltrona ao lado, Cacá ressonava de boca aberta, produzindo um som engraçado cada vez que respirava. Num pires colocado sobre a mesa de centro, um monte de cera enegrecida mostrava que a vela queimara até o fim.

Apoiando-se na parede, Helinho precisou fazer um grande esforço para se levantar. O corpo dolorido passava a nítida sensação de que ele havia levado uma surra violenta. Ajeitou o boné na cabeça, esticou os braços para cima, ouvindo os ossos estalarem, e viu que o diário de Mônica, recolhido por Patrícia na noite anterior, estava caído no chão perto do sofá. Pegou o caderno de capa dura, um dos sanduíches que as meninas haviam começado a preparar sobre o balcão da recepção e seguiu pelo corredor, em direção à cozinha do hotel.

Um facho de luz intensa penetrava por uma das janelas e era possível ouvir a algazarra que os pássaros faziam lá fora. Helinho sentou-se e empurrou para o centro da mesa os pratos e talheres sujos utilizados no jantar. E, mastigando lentamente o sanduíche, começou a folhear o diário de Mônica. Sua desculpa era a de que estava em busca de alguma pista que pudesse explicar o desaparecimento da companheira, mas na verdade as razões para essa bisbilhotice eram bem diferentes.

Ele sempre desejara saber o que as meninas tanto anotavam nesses misteriosos cadernos, mas todas as suas tentativas anteriores de penetrar nesse enigma haviam fracassado. Uma vez chegara a pedir a uma amiga da escola que o deixasse ler algumas páginas de uma agenda que ela usava como diário. A recusa, ele lembrava bem, viera acompanhada de um sorriso e da explicação de que aquilo era assunto confidencial e que, portanto, não interessava a mais ninguém além da dona da agenda. "Principalmente a meninos, que não entendem essas coisas", a amiga acrescentara. E a curiosidade de Helinho pelos misteriosos diários só aumentara a partir desse dia. Por isso tudo era perfeitamente compreensível a excitação que estava sentindo no momento em que abriu o caderno de capa dura, esquecendo-se até mesmo do sanduíche, que foi deixado de lado.

— Bom dia, você conseguiu dormir bem, Helinho?

A voz de Cacá assustou-o, fazendo com que desse um pulo na cadeira. Ele havia sentado de costas para a porta de entrada da cozinha — o que fora um grande erro — e não pressentira a chegada do amigo. Disfarçou o melhor que pôde e, virando-se para Cacá, manteve uma das mãos às costas, ocultando o caderno.

— Pra falar a verdade, acabei dormindo no chão, perto da porta — explicou, ainda meio sem jeito. — Estou com uma dor no corpo de lascar...

— Nem me fale, eu também dormi mal na poltrona — Cacá disse, apoiando as mãos na cintura e forçando o tronco para trás. E, depois de examinar a enorme cozinha iluminada pelo sol, continuou: — E estou com uma fome danada...

— Ué, os sanduíches estão lá na recepção — Helinho comentou, mostrando o que restava do seu. — Vão servir para o café da manhã.

Cacá achou a lembrança ótima e sem perder tempo deu meia-volta, não percebendo que era isso que seu companheiro queria. Rapidamente, Helinho aproveitou para enfiar o caderno por dentro da calça, disfarçando o volume com a camiseta comprida que usava. Em seguida também foi para a recepção.

Alex estava acordado e, igualmente com fome, já se encostara ao balcão para devorar um sanduíche. Patrícia, como ele informou a Cacá e Helinho, havia subido ao apartamento para lavar o rosto e usar o banheiro.

Quando ela desceu, bastou um olhar para Cacá perceber que o humor da garota não estava melhor que o de um vendedor num dia de chuva. Depois de recusar o sanduíche oferecido por Alex, Patrícia ignorou ostensivamente o namorado e dirigiu-se a Helinho:

— O que a gente vai fazer?

— Bom, acho que o jeito é tentar encontrar um telefone e chamar a polícia — ele arriscou-se a dizer, olhando para Cacá como se pedisse sua concordância. — Temos que fazer isso o mais rápido possível...

— Mas será que existe um telefone por aqui? — perguntou Alex, enquanto terminava de comer.

— Em algum lugar deve ter — disse Cacá, tentando assumir novamente o comando do grupo e notando que Patrícia tinha os olhos inchados. — Eu vou pegar um sanduíche e a gente já pode sair pra procurar.

Quando os quatro deixaram o hotel e chegaram à rua, o sol estava quente, anunciando um sábado de muito calor. Alex, ainda um pouco assustado com os acontecimentos da noite, era o último do grupo que andava vagarosamente pelo barro deixado pela chuva no chão da praça. A ideia de Cacá era ir até o prédio cinzento da delegacia de polícia, onde ele esperava encontrar um telefone. Para isso, atravessaram a praça e passaram em frente ao velho cinema de Aurópolis. Foi no momento em que olhou para o chão para desviar-se de uma poça que Alex viu as pegadas no barro.

Intrigado, ele parou para verificar o que era aquilo e notou que seus três companheiros continuavam a caminhar na direção do prédio cinza. Não havia dúvida de que aquelas eram as marcas deixadas pelo vulto que tinham avistado na noite anterior, mas Alex, temeroso de falar novamente em fantasmas perto de Helinho, resolveu não dar o alarme.

Ele reparou que as pegadas levavam à entrada do cinema, onde se transformavam em marcas de barro na área cimentada que existia ali. Indeciso sobre o que fazer naquele momento, Alex voltou sua atenção para o cartaz que estava afixado na porta. "Céu Amarelo", anunciava o papel arruinado pelo sol e pela chuva, "um faroeste com Gregory Peck, Anne Baxter e Richard Widmark". O menino concluiu que se tratava de um filme muito velho, possivelmente o último exibido por ali. E já ia se afastar, para alcançar seus companheiros que chegavam à porta da delegacia, quando percebeu um estranho movimento na cortina escura que cobria a entrada do cinema.

Alex permaneceu imóvel, olhando o tecido que se mexia, embora não houvesse vento. Sua primeira reação foi afastar-se do local, mas a curiosidade era mais forte: cuidadosamente, ele avançou em direção à porta. Quando afastou as cortinas rasgadas e manchadas, Alex levou um susto. Tentou recuar, mas não conseguiu, pois foi puxado com violência para dentro da sala de projeção.

Sem equilíbrio, Alex acabou por cair, batendo a cabeça nas poltronas. Rapidamente, voltou-se na direção da porta, querendo entender o que o havia puxado. A luz que vinha de fora deixava ver uma enorme silhueta postada na abertura das cortinas, impedindo a passagem. Apoiado na poltrona, Alex tentou se levantar, mas a figura à sua frente foi mais rápida e avançou em sua direção. À beira do desespero, o menino percebeu que seu último recurso seria gritar, para atrair a atenção dos companheiros. Tudo o que conseguiu, no entanto, foi abrir a boca. A voz não chegou a sair, porque antes disso seu pescoço foi apertado com força.

9. BARTOLOMEU

Na delegacia, tal como Cacá suspeitava, havia realmente um telefone. Era um daqueles modelos antigos, na cor preta, que só se vê hoje em dia em filmes muito velhos. E a animação que estava estampada no rosto de Patrícia durou apenas o tempo que Helinho levou para tirar o fone do gancho e colocá-lo próximo ao ouvido:

— Saco! Está mudo... — ele exclamou, batendo várias vezes no gancho, inutilmente. — Bom, também era esperar demais que uma relíquia destas ainda funcionasse.

Desapontada, Patrícia tomou o fone da mão de Helinho e ficou sacudindo e batendo no aparelho na tentativa de fazê-lo funcionar. Cacá e Helinho deixaram de lado o telefone e passaram a examinar a delegacia. Os móveis eram poucos: uma mesa descascada, duas cadeiras empoeiradas e um enorme arquivo de aço, que parecia ser do tempo em que ainda se escrevia arquivo com "ch". Um mapa desbotado do estado de São Paulo decorava a parede, ao lado de um calendário de 1973. Do outro lado da sala, havia um banheiro estreito e duas celas, cujas grades exibiam um festival de teias de aranha.

— Vamos embora daqui — comandou Cacá, percebendo que naquele local não encontrariam nenhum tipo de ajuda para achar Mônica.

— E o que a gente vai fazer agora? — perguntou Patrícia, dirigindo-se a Helinho, como se seu namorado não estivesse na sala.

— Deixe de besteira, Pat — Cacá interveio num tom de irritação, tocando o ombro da namorada. — Você pode estar zangada comigo, mas agora não é hora para criancices. Temos de achar sua irmã e estamos todos juntos nessa história, queira você ou não.

Patrícia, num gesto ríspido, afastou o corpo e olhou com desprezo para Cacá, que abanou a cabeça, desanimado. Helinho ergueu as sobrancelhas, visivelmente constrangido. Quando falou, sua intenção era muito mais romper a tensão que o silêncio do casal criara:

— Muito bem, Cacá, e agora?

— Só há uma saída: vamos voltar pra estrada lá em cima e procurar ajuda — ele disse, encaminhando-se para a porta. — Aqui embaixo nós não vamos conseguir nada. Estamos isolados...

— Cadê o Alex? — perguntou Patrícia, lembrando-se subitamente do companheiro.

— Ele deve estar lá fora — Helinho respondeu, caminhando também para a porta da delegacia. — Vai ver ele não quis entrar aqui com medo da polícia. Nunca vi um sujeito tão medroso...

Quando o trio saiu à rua, a praça deserta banhada pela luz intensa do sol parecia interrogá-los com seu silêncio. Helinho olhou para os dois lados e questionou:

— Ué, onde é que o Alex se meteu?

— Gente, ele também sumiu... — Patrícia estremeceu, segurando o braço de Helinho. — Esta cidade é mal-assombrada mesmo. Vamos embora...

— Acho que ele voltou para o hotel — comentou Cacá, apontando o edifício amplo do outro lado da praça.

— Quer saber de uma coisa? Esse bobão se mandou, isso sim. — Helinho disse a frase de modo provocativo.

— Ele não ia abandonar a gente desse jeito — rebateu Patrícia, passando a chamar pelo nome de Alex em voz alta, olhando em todas as direções da praça vazia.

— Vamos pegar nossas coisas e voltar para a estrada. Vocês vão ver: ele deve estar lá no hotel.

Depois de dizer isso, Cacá começou a atravessar a praça, sendo seguido, após um breve instante de hesitação, por Helinho e Patrícia, que ainda olhava para os lados à procura de Alex. Os três não haviam percorrido metade da área, quando uma figura maltrapilha, que caminhava perto do prédio do cinema, chamou a atenção deles.

— Olhe lá, Helinho — gritou Patrícia, a primeira a avistar o homem.
Eles voltaram atrás e, vagarosamente, foram se acercando do estranho. Era um homem velho, de barba grisalha, que usava roupas e um chapéu rotos e caminhava com dificuldade, apoiando-se em um cajado. Helinho abaixou-se e apanhou uma pedra no chão, mas Cacá, para quem a figura parecia inofensiva, fez um gesto indicando que o companheiro não deveria tomar nenhuma atitude:
— Espere aí, Helinho, esse homem deve saber alguma coisa sobre o sumiço da Mônica.
— Por isso mesmo, Cacá. Vamos acertar ele primeiro e depois a gente conversa — Helinho insistiu, ainda segurando a pedra.
— Não faça nada, pelo amor de Deus — interferiu Patrícia, segurando a mão de Helinho. — Se ele sabe alguma coisa, vai ter que contar pra gente.
Alheio a essa discussão, o velho parou em frente ao cinema e só então pareceu notar o trio que se aproximava cautelosamente. Observou os garotos por alguns instantes, com um olhar estranho. E quando os três estavam a uma pequena distância, bateu com o cajado no chão, o que fez com que eles se detivessem, e então falou:
— Vocês estão perturbando o sossego deles... Vão pagar por isso... Eles não gostam de estranhos.
Os três se entreolharam, curiosos, e Helinho fez um gesto para Cacá, como se pedisse autorização para atirar a pedra que carregava. Tomando a frente, Cacá avançou um pouco mais e dirigiu-se ao velho:
— Mas quem são eles?
— Os fantasmas, meu filho — o velho respondeu, dando em seguida uma gargalhada. — Eles não querem que ninguém ocupe esta cidade. Vocês têm que ir embora antes que aconteça alguma coisa.
— Diz pra ele que já aconteceu, Cacá. Pergunte onde está a Mônica — pediu Helinho, ainda preparado para acertar o velho com a pedra.
— Que história é essa de fantasmas? — Cacá indagou, atento a cada gesto do velho. — A gente só quer saber onde está a nossa amiga que sumiu.
Exibindo uma expressão insana, o homem voltou a sorrir. E depois de olhar para os lados, como se estivesse desconfiado, ele falou:
— Os fantasmas, meu filho. Eles pegaram ela... Agora não dá pra fazer mais nada. Vão embora antes que seja tarde demais.

41

— Que papagaiada é essa? — irritou-se Helinho, aproximando-se também do velho e brandindo a pedra numa atitude hostil. — Pra onde é que você levou a Mônica?

— Acreditem no velho Bartolomeu. Eles não gostam de estranhos. Vão embora — o homem prosseguiu falando, agora olhando para a praça deserta, como se não se dirigisse aos três. — Quem perturba o sono dos fantasmas não sai vivo daqui...

Se não fosse o rápido movimento de Cacá, segurando a mão de Helinho, este teria atirado a pedra no velho. O homem, por sua vez, parecia ignorar completamente tudo o que se passava à sua volta. Apenas batia com o cajado no chão e repetia:

— Os fantasmas... Eles não gostam de estranhos. Saiam daqui antes que seja tarde.

— Não faça isso, Helinho — Cacá ordenou, tirando a pedra da mão de seu companheiro e devolvendo-a ao solo. — Você não está vendo que é apenas um velho que não bate bem da cabeça?

— Mas, Cacá, ele deve saber onde está a Mônica. Vamos dar um aperto nele.

Prosseguindo com suas frases desconexas sobre fantasmas, o velho voltou a caminhar lentamente. Patrícia permanecia imóvel, pálida, enquanto Cacá olhava a cena e tentava decidir como deveria agir naquela situação. Helinho estava inconformado:

— Olhe aí, Cacá, ele está indo embora. Só pode ter sido ele quem tentou assustar a gente ontem à noite, andando aqui pela praça e tocando os sinos. Se esse palhaço sumir agora, a gente nunca mais vai encontrar a Mô...

A frase de Helinho foi interrompida pelos sinos da igreja que, naquele momento, repicaram, provocando um ruído ensurdecedor na praça. Patrícia enrijeceu ainda mais o corpo e percebeu que, se tentasse falar, sua voz não sairia. Helinho e Cacá olhavam, hipnotizados, para a torre da igreja, onde os sinos balançavam a toda, como se impulsionados por uma força invisível. O velho também se deteve, olhou para a igreja e depois sorriu para o trio assustado:

— Estão vendo? Eles estão zangados... — falou, apontando para a torre com seu cajado. — Escutem o que o velho Bartolomeu está dizendo a vocês: vão embora antes que não dê mais tempo.

— Os fantasmas... Eles não gostam de estranhos. Saiam daqui antes que seja tarde.

A frase teve o poder de tirar Patrícia da espécie de torpor em que se encontrava. Apavorada, a menina agarrou Helinho pelo braço e implorou, quase aos gritos:

— Vamos embora daqui, pelo amor de Deus. Eu não quero que eles me peguem também...

Sem saber o que fazer, Helinho olhou para Cacá, à espera de alguma reação. Com uma expressão confusa, Cacá acompanhou a figura do velho Bartolomeu se afastando, alternando seu olhar em direção à torre da igreja. Patrícia praticamente já arrastava Helinho para dentro da praça, quando seu namorado virou-se e falou:

— Esse velho é completamente doido. Onde já se viu acreditar em fantasma?

— Bom, se não são fantasmas, o que é que está acontecendo aqui então? — quis saber Helinho, que já começava a perder a pose de corajoso e a aceitar a possibilidade de existência dos fantasmas.

— Só tem um jeito de saber — Cacá declarou, voltando sua atenção para a torre, onde os sinos cessaram repentinamente. — Vamos até a igreja ver quem está tocando os sinos...

— Não vou lá nem morta — apressou-se Patrícia a dizer, enquanto prosseguia puxando Helinho. — Eu não fico nem mais um minuto neste lugar horrível.

— Eu acho que a Pat está certa, Cacá. Vamos cair fora antes que seja tarde...

— Pelo jeito você está com tanto medo quanto ela, Helinho — Cacá provocou, vendo que seus companheiros começavam a andar na direção do hotel. — O.k., podem ir para o hotel, eu já vou pra lá. Só que antes vou dar uma espiada na igreja e resolver esse mistério de uma vez.

Cacá, na verdade, estava assustado com os acontecimentos e doido de vontade de também correr para o hotel, apanhar suas coisas e fugir da cidade. Da mesma forma, porém, era grande o desejo de reconquistar o respeito da namorada. Vendo que Helinho, igualmente apavorado, se afastava com Patrícia, ficou parado em frente ao cinema, procurando reunir coragem para ir até a igreja. Custasse o quanto custasse, ele pensou, iria mostrar para Patrícia que não era um covarde. Pessoalmente, estava em dúvida quanto à existência de fantasmas. Mas o importante, ele sabia, era desvendar o que estava ocorrendo em Aurópolis, encontrar Mônica e provar para Patrícia que não tivera nenhuma culpa nos acontecimentos.

Ele viu que Helinho e Patrícia haviam alcançado o hotel do outro lado da praça e já entravam pela porta de vidro. O silêncio em que o lugar voltara a mergulhar servia para deixá-lo ainda mais nervoso. Cacá respirou fundo, olhou primeiro para os lados e depois para a igreja. E reunindo toda a coragem que lhe restava, caminhou naquela direção.

10. SURPRESAS NO HOTEL

Helinho e Patrícia entraram apressados na recepção do Hotel Majestic. E nem se importaram muito com o fato de Alex, ao contrário do que Cacá estava pensando, não se encontrar lá. A intenção dos dois era apanhar as mochilas e malas o mais depressa possível e alcançar a estrada onde haviam desembarcado. E pela velocidade com que Patrícia subiu as escadas, Helinho concluiu que ia ser difícil convencê-la a esperar pelo namorado.

Agitada, Patrícia chegou ao primeiro andar, abriu a porta e entrou no apartamento. Sem perda de tempo, começou a juntar as roupas e os outros objetos que havia tirado de sua mochila. Depois de fechá-la com o zíper, Patrícia olhou ao redor e, vendo as coisas de Mônica espalhadas, aproveitou para refazer as malas da irmã, com a intenção de também levá-las.

Ela já ia deixando o apartamento, arrastando com dificuldade as bagagens, quando se lembrou da toalha que havia utilizado no banho do dia anterior e que deixara pendurada no boxe para secar. Atravessou novamente o quarto e entrou no banheiro. Foi nesse instante que ouviu um ruído na porta do apartamento. Procurando dominar os nervos, parou e aguçou o ouvido, à espera. O silêncio era total. Patrícia riu, nervosa, achando que estava muito sugestionada e que o ruído fora produto de sua imaginação. Apenas os pássaros cantavam lá fora. E mais nada.

Quando puxou a toalha do boxe, um novo barulho a sobressaltou. De onde estava, tinha uma visão restrita do quarto, só conseguindo divisar uma parte de uma das camas e um pedaço do guarda-roupa. Ela encolheu-se instintivamente no fundo do boxe e, tremendo muito, aguardou. E por outro ruído que ouviu, percebeu que alguém arrastava as malas pelo assoalho do quarto.

— Helinho? — ela arriscou-se a balbuciar, na esperança de que fosse o companheiro que tivesse subido para ajudá-la com a bagagem. — É você?

Como resposta, novamente o silêncio dominou o ambiente. E Patrícia encolheu-se mais ainda, agora sem conseguir conter as lágrimas que escorriam por suas faces.

— Quem está aí?

A frase foi dita entre soluços pela menina, que de tão apavorada evitava olhar para a porta. Os minutos que se passaram apenas aumentaram a tensão, e a espera de que algo ocorresse tornou-se aos poucos insuportável. E como às vezes acontece com as pessoas desesperadas, houve um momento em que Patrícia pôs-se em pé e, movida pelo pavor, avançou na direção da porta. O que poderia ser confundido com um ímpeto de coragem era, na verdade, o pânico em estado puro.

Sentindo o suor escorrer pelo corpo, Patrícia colocou a cabeça para fora do banheiro e espiou: o quarto estava vazio e as malas depositadas ao lado da cama, como ela havia deixado. Procurando respirar com calma, ouvia seu coração batendo acelerado. Quando dominou o medo, caminhou para a porta do apartamento. Abaixando-se, Patrícia alcançou as alças das mochilas e tomou fôlego para arrastá-las.

De repente seu tornozelo foi agarrado e Patrícia tropeçou nas malas, caindo pesadamente no chão. Ela ainda teve tempo de dar um grito, enquanto tentava recuperar o equilíbrio e levantar-se. Mas quando viu aquilo que havia deixado o esconderijo sob a cama, o terror foi tão grande que sentiu o corpo amolecer e perdeu os sentidos.

Depois que tudo escureceu, Patrícia teve a sensação de que seu corpo, mais leve e relaxado, flutuava num ambiente líquido.

Se Helinho estivesse atento, fatalmente teria ouvido o grito da companheira. Mas já tendo concluído a preparação de sua bagagem, estava sentado na cama e, absorto, folheava o diário de Mônica. Naquele momento nem mesmo uma orquestra tocando uma marcha no apartamento ao lado teria conseguido atrair-lhe a atenção. Isso porque a parte do diário de que Helinho se ocupava falava de um personagem que o interessava muito: ele mesmo.

"Quinta-feira, 3 de setembro — A gente viaja amanhã cedo até Bauru e de lá pega um ônibus para o camping. Eu não estou muito a fim de ir, mas o papai parece fazer questão. Até parece que é ele quem vai viajar. Tomara que não seja uma

viagem chata. Além da Pat e do Cacá, sei que o Helinho e o Alex vão com a gente. Ih, o Helinho é tão chato. Vive dando sustos nos outros, uma brincadeira bem estúpida, pra falar a verdade. Acho que pra idade de quinze anos, ele é muito imaturo. Só pensa nessas bobagens. Parece um bobo tentando bancar o mais esperto da turma. Ô menino tonto, meu Deus."

"Então é isso que ela pensa de mim?", Helinho pensou e sorriu, enquanto relia esta passagem escrita com a letra miúda de Mônica. E, em seguida, virou a página para procurar as últimas anotações que o caderno continha.

"Sexta-feira, 4 de setembro — Engraçado, era para eu ter ficado em São Paulo neste feriado. Vim mais por causa da insistência do papai. Acho que ele quis que eu vie..."

Subitamente, o caderno foi puxado das mãos de Helinho, interrompendo sua leitura. O susto foi tão forte que ele levou as mãos à boca. Num exercício mental veloz, tentou pensar na desculpa que iria dar, pois tinha certeza de que, ao girar o corpo para ver quem arrancara o diário de suas mãos, iria encontrar o rosto zangado de Patrícia, que o surpreendera bisbilhotando nas anotações da irmã. Mas ao completar o movimento, Helinho tomou outro susto maior ainda. Tentou se levantar, mas foi empurrado de volta à cama e percebeu que seria inútil lutar contra aquilo que o agarrava com uma força descomunal.

11. NOTÍCIAS VELHAS

Cacá permaneceu um longo tempo em frente à igreja, olhando com curiosidade para a torre onde estava alojado o sino imóvel. Ele já forçara a porta, sem sucesso, e agora tentava imaginar como faria para entrar. Afastando-se um pouco, percebeu que o sol da manhã se fragmentava em partículas coloridas ao incidir no vitral. Se quebrasse aquele vidro, Cacá refletiu, talvez conseguisse passar por lá. Mas o vitral estava a mais de três metros de altura e ele jamais o alcançaria.

Numa última tentativa, Cacá forçou outra vez a porta, novamente sem resultados. Desistindo, deu as costas para a construção com sua pintura descascada e preparou-se para voltar ao hotel. E só não o fez porque, antes disso, olhou para uma casa amarela à sua esquerda e para a placa que ela exibia na fachada. "Gazeta de Aurópolis" era o que estava escrito em letras garrafais. E o que mais atraiu a atenção de Cacá foi a porta, completamente escancarada. Tanto que ele se aproximou com cautela e, apoiado no batente, examinou o interior da casa.

Era uma antiga redação de jornal, não havia dúvidas, Cacá pensou. Isso ficava claro pelas mesas e máquinas de escrever espalhadas pelo cômodo amplo. Além disso, várias páginas com as manchetes da *Gazeta de Aurópolis* decoravam as paredes. O sol penetrava por frestas existentes no telhado arruinado e criava colunas de pó suspensas no ar. Do outro lado da sala existia um corredor estreito e escuro que conduzia a outro cômodo, onde apareciam as empoeiradas máquinas da gráfica do jornal.

Curioso, Cacá entrou na casa e aproximou-se da parede para ler as notícias de velhas edições. E ficou fascinado com o que descobriu. De acordo com os jornais afixados, Aurópolis tinha sido uma cidade progressista, que vivia em função do garimpo de ouro. Passando de uma página para outra, ele verificou, porém, que o tom das notícias era bastante variado. Assim, se em uma edição anunciava-se com grande alarde a descoberta de um enorme filão de ouro, em outro número o jornal informava que aquele fora um alarme falso e que, depois de muito cavar, os mineiros haviam encontrado de tudo, menos o metal precioso. Da mesma forma, a notícia da chegada a Aurópolis de famílias inteiras em busca de riqueza alternava-se, em edições seguintes do jornal, com a informação sobre pessoas que estavam abandonando a cidade após desistir de procurar ouro. Havia até mesmo uma manchete que festejava a descoberta de uma pepita gigantesca, "a maior do Brasil" conforme o texto, e que dias depois era desmentida, pois a pedra encontrada, segundo a reportagem, na verdade não era ouro e não tinha valor algum.

Interessado, Cacá prosseguiu lendo, passando de uma página para outra, tentando entender o que ocorrera em Aurópolis. Foi então que uma pilha de jornais sobre uma das mesas atraiu sua atenção. Ele aproximou-se da mesa, pegou um dos exemplares e, depois de soprar a poeira acumulada sobre uma cadeira, sentou-se para ler. O papel estava amarelado e bastante estragado pelas goteiras que existiam na sala.

Mesmo assim, a curiosa manchete que o jornal exibia em sua primeira página deixou Cacá intrigado. E foi isso que ele leu:

Gazeta de Aurópolis

Quinta-feira, 8 de novembro de 1973

ESTE É NOSSO ÚLTIMO NÚMERO

Conforme vínhamos noticiando nos últimos anos, Aurópolis parece estar condenada a se transformar em uma cidade-fantasma. Depois de desistir de buscar inutilmente por riqueza, a maioria das famílias já partiu, restando poucas pessoas que ainda teimam em procurar ouro neste solo.

Na semana retrasada, o Banco do Brasil cerrou suas portas e na última semana foi a vez da polícia encerrar suas atividades em Aurópolis, já que o delegado e os policiais não têm mais o que fazer por aqui. Infelizmente chegou também a nossa hora. Este jornal, que durante anos cumpriu o dever de levar a informação aos habitantes de Aurópolis, hoje perdeu sua razão de ser. Afinal, um jornal não pode existir sem leitores — e é isso que está acontecendo. A população da cidade reduziu-se a um número pequeno de pessoas. E não está longe o dia em que não restará mais ninguém e Aurópolis será então uma cidade-fantasma.

Talvez fiquem por aqui alguns teimosos, que insistem em cavar inutilmente. Como é o caso de Bartolomeu Ramos (foto) e seu irmão, garimpeiros que venderam tudo o que tinham para comprar uma mina onde nunca encontraram um grama de ouro sequer. O irmão, aliás, já foi embora há alguns meses, mas o pobre Bartolomeu ainda insiste. Há quem diga que ele perdeu o juízo e continua cavando em uma mina que ninguém sabe ao certo onde fica. Acreditamos que é só um ato de desespero de alguém que perdeu tudo, inclusive seus sonhos, e não se conforma com isso.

Nesse ponto, Cacá interrompeu a leitura e olhou demoradamente para a foto que o jornal estampava em sua primeira página. Embora bem mais jovem, não havia dúvida de que o homem magro que ali aparecia era o velho Bartolomeu.

— Então foi isso que aconteceu aqui — Cacá falou, em voz baixa.

— Aurópolis é uma cidade-fantasma...

Ele ia retomar a leitura do jornal quando o som de uma respiração fez com que se voltasse e olhasse em direção ao corredor da casa. E o espanto foi tão grande que Cacá deu um pulo na cadeira.

Encostada na parede e olhando-o fixamente havia uma mulher loira, de olhos claros e pele muita pálida, que parecia irreal. Estava vestida de branco, o que a tornava ainda mais fantasmagórica. Quando o olhar de Cacá cruzou com o dela, a mulher sorriu com suavidade e perguntou:

— Você gosta de ler notícias velhas?

Cacá levantou-se devagar e colocou o jornal de volta na mesa. E, ainda sobressaltado, falou, surpreendendo-se com a própria voz, que saía gaguejante:

— Que... Quem é você? De... De on... onde você saiu?

A loira, que permanecia encostada na parede, sorriu mais uma vez antes de responder:

— Talvez eu seja um fantasma. O que você acha?

Controlando os nervos para não sair correndo, Cacá foi se afastando devagar em direção à porta, ouvindo o próprio coração bater forte. Contudo ele não conseguia desviar sua atenção dos olhos da mulher, que pareciam hipnotizá-lo.

— Fantasmas não existem... — Cacá conseguiu balbuciar, tropeçando em seguida numa cadeira que estava em seu caminho e quase caindo. — Quem é você, afinal?

A loira continuou olhando para ele e sorrindo, enigmática. E no momento em que ela desencostou-se da parede e deu um passo à frente, o pavor de Cacá foi tão forte que ele virou-se para correr para fora da casa. Mas foi impedido de fazer isso.

Antes de perder a consciência, Cacá sentiu que alguém o agarrava pelo pescoço e colocava um pano com um cheiro forte em seu nariz. E, como num sonho, ouviu uma voz masculina, que soava distante:

— Bom trabalho, Lili.

SEGUNDA PARTE

OS FANTASMAS DA CIDADE

1. A CHEGADA DO HOMEM CINZA

O carro, um Opala do ano na cor cinza, desceu lentamente a estreita estrada de terra, brigando com as pedras que se soltavam do solo e batiam na lataria, e parou na entrada da cidade. O motor foi desligado e, depois de alguns segundos, o motorista desceu.

Era um homem jovem ainda, apesar dos cabelos grisalhos, vestido com terno, gravata e sapatos cinza. Desde menino tinha mania por essa cor e não era por acaso que ele carregava o apelido de Homem Cinza.

O homem passou a mão pelo capô do Opala, olhou desgostoso para a poeira acumulada ali, e disse um palavrão. Em seguida caminhou para perto da placa que dava as boas-vindas aos visitantes de Aurópolis.

Do bolso do paletó, ele tirou um lenço e passou-o pelo rosto, enxugando o suor. E ficou analisando com curiosidade o aviso escrito com tinta branca no verso da placa enferrujada.

— Fique longe de Aurópolis — o Homem Cinza leu, em voz alta, e sorriu. — Essa é boa...

Depois de avaliar as primeiras casas que apareciam na entrada da cidade, caminhou até o carro, de onde retirou uma maleta também cinza. Apoiando-a sobre o teto do Opala, o Homem Cinza abriu-a e pegou uma pistola automática. Depois de destravá-la, colocou a arma na cintura, de modo que o paletó a ocultasse. E por alguns momentos permaneceu imóvel próximo à placa.

Tinha a nítida impressão de que, escondido em alguma das casas arruinadas, alguém o observava — e isso o mantinha alerta.

O homem tocou o cabo da arma na cintura, como se aquele gesto lhe transmitisse mais segurança, e olhou demoradamente para a rua de terra ladeada por casas velhas. O silêncio do lugar o incomodava, assim como o calor produzido pelo sol do meio-dia. Por fim, ele voltou ao carro, deu a partida e entrou lentamente em Aurópolis.

A modesta construção que, no passado, abrigara o Banco do Brasil mereceu um olhar irônico do homem ao volante do Opala. Da mesma forma, quando viu o estado a que estava reduzido o prédio da prefeitura da cidade, ele soltou um suspiro de desânimo. À medida que o carro avançava pelas ruas, o homem vestido de cinza ia avaliando o cenário e soltando resmungos.

Se tivesse espiado pelo retrovisor do carro, ele iria perceber que a sensação de sentir-se vigiado experimentada antes era justificada. Nem bem o Opala passou pela frente do prédio onde um dia funcionara a prefeitura, a porta se abriu, um homem barbudo saiu e ficou observando o veículo se afastar. Era um sujeito alto e forte, vestido com *jeans*, botas e uma camiseta encardida. Numa das mãos carregava uma escopeta.

O barbudo sorriu, alisou a arma com carinho e manteve o olhar fixo no Opala, tentando adivinhar se o carro prosseguiria até o fim da rua ou iria entrar em alguma das esquinas. Quando o veículo diminuiu a marcha e rumou para uma das travessas, desaparecendo de seu campo de visão, o homem voltou a sorrir. Sem perda de tempo, ele atravessou correndo a rua e passou a avançar esgueirando-se junto às casas do outro lado, enquanto a poeira levantada pela passagem do Opala ainda se movimentava no ar.

Na esquina, ele viu que o carro já alcançava outro cruzamento. Soltando um grunhido de satisfação, o homem barbudo dirigiu-se apressado na direção de um sobrado cinza, em cuja fachada uma placa informava ser ali a Funerária Santa Lúcia. Ele se deteve diante da porta, bateu duas vezes e depois entrou.

2. CONVERSA NA FUNERÁRIA

Havia um ventilador no teto, cujas pás giravam preguiçosas, produzindo um ruído monótono. A pintura clara das paredes mostrava extensas manchas provocadas pela umidade, que formavam desenhos curiosos, e havia madeiras de vários tamanhos empilhadas a um canto. Foram essas as coisas que Cacá viu assim que abriu os olhos. Estava deitado num assoalho desgastado e, ao virar-se para olhar para o canto oposto ao das madeiras, sentiu a cabeça doer.

Cacá fechou os olhos e permaneceu imóvel por algum tempo, tentando vencer a tontura e compreender o que tinha acontecido. As imagens dançavam na sua cabeça, numa sucessão de cenas confusas, e ele fez um esforço para entender onde é que se encontrava, afinal. Pouco a pouco, a memória foi trazendo de volta as imagens: a cidade vazia, o hotel, o olhar zangado de Patrícia, o sumiço de Mônica, os sinos da igreja, o velho Bartolomeu, o jornal... O jornal, Cacá se lembrou, sentindo um arrepio, porque a memória trouxe também a visão da loira pálida.

Ele abriu os olhos, enxergando outra vez o ventilador no teto. Ao mover com cuidado a cabeça, notou que a dor e a tontura haviam diminuído. E quando procurou erguer-se, percebeu que suas mãos estavam presas às costas. Algemas, concluiu, no instante em que forçou os braços e o metal apertou-lhe os pulsos. Virando o corpo até quase ficar de bruços, ele sentiu os braços formigarem e imaginou que estivera inconsciente, deitado na mesma posição, por muito tempo.

Encostando o rosto no chão, Cacá encolheu as pernas e, com um grande esforço, conseguiu ficar de joelhos. Os braços amortecidos incomodavam bastante, mas ele retesou os músculos para, num arranque, colocar-se em pé. O movimento fez com que perdesse o equilíbrio e tropeçasse nas próprias pernas. Trôpego e lutando para não cair, ele atravessou desajeitado o cômodo, indo de encontro à pilha de tábuas. O choque no ombro arrancou-lhe um gemido e provocou a queda de duas das tábuas, num estrondo. Cacá encostou-se na pilha de madeiras, satisfeito por ter recuperado o equilíbrio. Mas não teve tempo sequer de dar mais um passo porque nesse momento a porta se abriu e um homem enorme entrou no cômodo.

— Dormiu bem, garotão?

A voz grossa, Cacá percebeu, combinava perfeitamente com a figura: era um homem alto e musculoso, que praticamente ocupava toda a porta com seus ombros largos. O tipo de sujeito que, com certeza, usava uma cama de casal para dormir. Seu rosto, que ostentava um arranhão recente na altura da testa, parecia dar razão à teoria de que o homem descende do macaco. Ele vestia uma camiseta sem mangas e olhava com uma expressão de quem não se interessava muito em fazer novas amizades.

— Eu fiz uma pergunta, rapaz — o grandalhão falou novamente, com aquela voz que seria perfeita para anunciar o Juízo Final.

— Quem é você? — Cacá murmurou, encolhendo-se ante a aproximação do homem.

— Eu sou um fantasma de Aurópolis — o grandalhão disse.

E, colando o rosto ao do rapaz, disparou um "buuuuu!!!" com seu vozeirão, seguido de uma gargalhada. Cacá estremeceu e, sentindo voltar a tontura, começou a deslizar em direção ao chão. O grandalhão, porém, foi mais rápido e segurou-o pela camisa, erguendo-o sem precisar fazer nenhum esforço.

— Ah, ah, não precisa ficar tão assustado — o homem ainda ria —, estou só brincando. Eu não sou um fantasma, não.

E praticamente arrastando Cacá em direção à porta do cômodo, prosseguiu:

— Eu me chamo Isidoro, mas todo mundo me conhece por Kid Montanha, desde os tempos em que eu lutava boxe.

— O que você quer comigo? — Com as mãos algemadas, Cacá desistira de qualquer movimento e era carregado pelo homem como um saco de roupas.

— Pessoalmente não quero nada — Kid Montanha respondeu. — Quem quer conversar com você é o Rubão, meu chefe.

— Afinal, quem são vocês? — Cacá estava tão próximo do grandalhão que sentia o cheiro azedo de suor que seu corpo musculoso exalava.

— Calma, calma. Dá um tempinho que o chefão já vai explicar tudo pra você.

Quando atravessaram a porta, Cacá viu-se em um cômodo maior, que imaginou ser a sala da casa. A luz do sol penetrava por alguma fresta e conferia ao ambiente um ar sobrenatural. E quando Kid Montanha girou o corpo para colocá-lo no chão, o rapaz conseguiu vislumbrar outras pilhas de madeira que estavam depositadas em um canto e vários caixões de defunto, que pareciam inacabados.

Sentado em uma poltrona à sua frente achava-se um homem de óculos escuros, com o cabelo cuidadosamente penteado para trás e fixado com brilhantina. Era um sujeito magro, com um bigode fino e que, apesar do calor, vestia um paletó azul. Sua camisa branca, desabotoada, deixava ver a grossa corrente dourada que ele usava. Cacá teve um sobressalto quando olhou para a mulher que estava em pé, apoiada no encosto da poltrona: era a loira pálida que ele vira pouco antes de sair do ar.

— Quer dizer então que o nosso hóspede já acordou, Kid?

O homem falava pausadamente, como se escolhesse as palavras e tivesse um grande prazer em pronunciá-las. A loira olhou para Cacá com uma expressão divertida e depois levou à boca o cigarro, preso numa longa piteira.

— Para você não dizer que somos malcriados, vamos fazer as apresentações — Kid Montanha pousou sua mão enorme no ombro de Cacá.

— Este é o Rubão. E a loira, que você já conhece, né?, é a Lili.

Cacá permaneceu olhando para a dupla, em silêncio. Ainda se sentia confuso e tentava compreender o que estava acontecendo. O tapa repentino do grandalhão em seu peito fez com que ele quase perdesse o fôlego:

— Seja educado, pô! — Kid Montanha gritou. — Diga seu nome para o chefe.

— Cacá... Meu nome é Cacá — o rapaz choramingou, sentindo uma dor aguda no local em que o homem tinha batido.

— Isso é apelido, pivete. Diga o seu nome de verdade — o grandalhão insistiu, ao mesmo tempo que erguia a mão ameaçadoramente.

— Acho bom você obedecer — a loira falou, soprando a fumaça do cigarro para o alto. — Quando fica nervoso, ninguém consegue mais controlar o Kid.

Cacá sentia o corpo contrair-se, num misto de raiva e medo. Se ao menos suas mãos estivessem livres... O homem sentado na poltrona acompanhava impassível a cena, sem esboçar a menor reação.

— E então? Vai falar o seu nome ou vai querer outro agrado?

A voz de Kid Montanha, muito próxima ao seu ouvido, fez com que Cacá se virasse e o encarasse com ódio — e também com os olhos cheios de lágrimas.

— Ai, ai, não é que o menininho é valente? — o grandalhão zombou, tentando simular um falsete com sua voz que, ainda assim, continuava grossa o suficiente para lixar um navio.

— Chega, Kid, pare de provocar o rapaz — o homem da poltrona falou, por fim. — Queria ver se ele estivesse com as mãos livres...

A observação arrancou uma gargalhada de Kid Montanha, que deu um tapa de camaradagem no ombro de Cacá, fazendo com que ele se projetasse para frente. "Caramba! Se alguém deixar este cara nervoso, ele é capaz de derrubar uma parede com muita facilidade", Cacá pensou, enquanto retomava o equilíbrio. Ainda assim, tornou a encará-lo, porque o tapa em seu ombro ardera muito. Para seu alívio, o grandalhão obedeceu à ordem de Rubão e encostou-se num canto com os braços cruzados.

— Muito bem, acho que agora podemos conversar, não é, Cacá? — o homem de óculos escuros disse, parecendo saborear cada palavra, ao mesmo tempo que retirava uma lixa de unhas do bolso do paletó.

— O que vocês querem de mim? — Cacá perguntou, forçando os braços e sentindo o metal das algemas morder-lhe a carne.

— *Acho bom você obedecer* — *a loira avisou. Quando fica nervoso, ninguém consegue mais controlar o Kid.*

— Nada de especial, meu caro — Rubão respondeu, enquanto dirigia toda a sua atenção para as unhas da mão esquerda, como se aquilo fosse a coisa mais importante do mundo. — Nós tivemos de agir com, digamos, alguma violência porque você e seus amiguinhos ameaçavam estragar nossos negócios, compreende?

— O que vocês fizeram com meus amigos? — Cacá assustou-se com a frieza do homem de óculos escuros e sentiu um aperto no coração quando pensou em Patrícia. E também em Mônica, Alex e Helinho.

— Não se preocupe, Cacá — Rubão prosseguiu no mesmo tom calmo de voz —, eles estão em um lugar seguro e eu lhe dou minha palavra de que ninguém se machucou. Você não me conhece, mas saiba que eu detesto qualquer tipo de violência, não é mesmo, Lili?

A loira lançou um sorriso cúmplice na direção do homem e depois voltou seu olhar para Cacá, como se estivesse confirmando a índole pacífica dele. Kid Montanha resmungou qualquer coisa de seu canto e Cacá, girando a cabeça com esforço para vê-lo, achou que a postura do grandalhão era tão inofensiva quanto a de um urso depois de um mês em jejum.

— É hora de explicar pra você o que está acontecendo. — Rubão continuava lixando as unhas com um ar despreocupado. — Mas é melhor você se sentar, Cacá. Eu não quero que ninguém me acuse de ser mal-educado.

Depois de dizer isso, ele fez um sinal para Kid Montanha, que prontamente arrastou uma cadeira para perto de Cacá. O rapaz não teve tempo sequer de pensar se aceitaria ou não o convite, pois a mão do homem musculoso o empurrou em direção ao assento. Cacá tentava entender com que espécie de gente estava lidando. A voz e os trejeitos calmos de Rubão pareciam esconder uma alta carga de ameaça e violência, o que o deixava ainda mais preocupado com seus amigos. E a visão dos ataúdes empilhados dava à sala um aspecto sinistro e contribuía para aumentar sua apreensão. Ajeitando-se na cadeira, ele perguntou:

— Mas, afinal, quem são vocês e o que querem?

— Nós somos, como eu posso dizer?, bem, somos os donos desta cidade — Rubão encarou-o e devolveu a lixa de unhas ao bolso do paletó. — Infelizmente você e seus amigos resolveram dar uma parada aqui e nós tivemos de agir. Eu detesto quando alguém se intromete em meus assuntos.

— Mas nós só paramos aqui por engano. — A voz de Cacá tinha um tom inconfundível de súplica. — A gente estava indo para o *camping*...
— Eu sei disso, Cacá. Seus amiguinhos já me contaram essa história. O que interessa é que vocês resolveram ficar por aqui e isso podia atrapalhar meus negócios.

O tom de voz de Rubão foi subindo, até que ele gritou:
— E isso eu não admito!

Cacá estremeceu na cadeira e percebeu que Kid Montanha se mexia, inquieto. Que negócios seriam esses? Em sua cabeça dançaram as notícias que ele havia lido nos jornais velhos e a coisa veio como um estalo: ouro.

— Vocês procuram ouro por aqui, não é? — arriscou-se a dizer, encarando seu interlocutor igual a alguém que experimenta um terreno minado.

Rubão, Lili e Kid Montanha se entreolharam por uma fração de segundo. E depois explodiram numa risada, como se tivessem acabado de ouvir uma piada.

— E por acaso nós temos cara de garimpeiros? — Rubão ainda ria.
— Nosso negócio em Aurópolis é outro, rapaz. Como eu estava dizendo, nós assumimos a posse desta cidade esquecida. E como você e seus amiguinhos resolveram fazer turismo por aqui, nós tivemos de agir. Eu não ia permitir que vocês atrapalhassem justo agora que está para chegar um convidado muito importante.

— Mas a gente só parou aqui pra procurar condução para o *camping*... — Cacá protestou, avançando o corpo para a ponta da cadeira. — Nós nem sabíamos de vocês e ninguém tinha a intenção de se meter em negócio nenhum.

— Eu sei de tudo isso, meu caro. Tanto que resolvemos brincar de fantasmas e dar-lhes um bom susto, pra ver se vocês se mandavam de uma vez. A Lili tomou uma chuva danada ontem à noite, enquanto passeava na praça. E eu arrumei até uns calos nas mãos de tanto puxar a corda para tocar os sinos na igreja — Rubão explicou, fingindo uma paciência inofensiva que todos ali na sala sabiam ser falsa. — Mas aí o nosso Kid Montanha desobedeceu às minhas ordens e resolveu entrar no hotel para arrumar uma namorada por conta própria. Isso me obrigou a mudar nossos planos...

Cacá arregalou os olhos na direção do grandalhão, que permanecia encostado na parede, mantendo no rosto uma expressão simiesca. Aterrorizado, só conseguiu balbuciar:

— Meu Deus, a Mônica...

— É esse o nome da menina mais nova, né? — Rubão continuou, ignorando o estado de ansiedade que se apossou de Cacá. — Pois é, além de tudo o Kid é incompetente até pra arrumar namorada. Sabe que ele conseguiu se enganar? O plano era trazer a moça mais velha, que ele tinha visto quando vocês entraram na cidade ontem à tarde.

— Pô, Rubão, eu já expliquei que estava tudo escuro — o grandalhão se manifestou, abrindo os braços num protesto desengonçado.

— Idiota — o homem de óculos escuros disse entre os dentes. — Minha ordem era bem clara: dar um bom susto nos pivetes e nada mais. Mas você tinha que estragar tudo...

Cacá havia fechado os olhos e tentava controlar a respiração, para não entrar em pânico. Pensou em dizer alguma coisa, mas a voz de Rubão se antecipou:

— Diante dessa burrada, nós tivemos de capturar todos vocês, um a um. Eu sabia que não iriam sair da cidade sem essa menina que o Rubão pegou no hotel. E mesmo se saíssem, com certeza vocês voltariam com a polícia para procurá-la, não estou certo?

Diante do silêncio de Cacá, ele arrematou:

— Isso arruinaria todo o meu trabalho.

Nesse instante, Kid Montanha deixou seu canto e aproximou-se da janela. Ele tinha acabado de ver o velho Bartolomeu que passava na rua apoiado em seu inseparável cajado e, voltando-se para Rubão e Lili, sacou o revólver e anunciou com um ar divertido:

— Olhe lá o velhinho gagá. Vou dar um susto nele, ah, ah, ah...

Depois de dizer isso, o grandalhão fechou um dos olhos, fazendo mira, e apontou a arma na direção do velho, que caminhava resmungando, alheio ao fato de que servia de alvo. Quando Kid Montanha ia fazer o disparo, recebeu um soco violento na parte de trás da cabeça. E muito mais do que o impacto, foi a surpresa do golpe que fez com que ele soltasse a arma e se voltasse, aturdido.

— Pra que isso, seu cretino? — Rubão encarava-o furioso e ainda com a mão fechada, pronta para um novo golpe. — O velho é um pobre--diabo, o que você ia ganhar atirando nele?

— Mas... Mas eu pensei...

— Bobalhão. Está vendo como é que as coisas são? Basta você pensar e sai besteira. — Rubão olhou para o velho Bartolomeu, que se afastava, e depois empurrou Kid Montanha. — Volte para o seu canto, palerma.

Em seguida, Rubão retornou à poltrona e, estalando os dedos, comentou satisfeito com Cacá:

— Viu só como eu odeio violência? Agora você acredita que eu seria incapaz de permitir que seus amiguinhos se machucassem?

— Cadê as meninas? — o rapaz perguntou, retesando os músculos e mantendo o corpo ereto na cadeira.

— Elas estão bem, não se preocupe — o homem respondeu, com um sorriso sinistro.

Cacá baixou a cabeça, tentando raciocinar. Não precisava ouvir mais nenhuma palavra daquele sujeito estranho para perceber a enrascada em que estava metido. Seu desejo era fugir dali o mais rápido possível e procurar seus companheiros, mas com as mãos algemadas, não via como.

— Você não precisa ficar preocupado com as meninas, rapaz — foi a vez da mulher loira falar, exibindo um sorriso cínico. — Dê só uma espiada na testa do Kid. Quem mandou ele tentar se engraçar com a mais velha delas...

De repente, Cacá deu um salto da cadeira e, mesmo sem poder usar as mãos, tentou partir contra o homem na poltrona à sua frente. Mas Kid Montanha foi mais rápido e, depois de agarrá-lo, obrigou-o a sentar-se de novo.

— A menina é meio bravinha, mas vai acabar aprendendo a se comportar — o grandalhão disse e sua voz encheu a sala, provocando em Cacá uma onda que misturava raiva, impotência e medo.

— E o que vocês vão fazer com a gente? — foi a única coisa que conseguiu murmurar.

Rubão levantou-se do sofá e seu rosto ganhou uma expressão sombria. Apoiou a mão no ombro de seu prisioneiro, que continuava sentado, e falou:

— Lamento dizer, mas nós vamos... — interrompeu a frase no meio ao ouvir o som de duas batidas na porta. — É o Matraca — anunciou, como se quisesse tranquilizar Kid Montanha, que se mexera inquieto.

No instante seguinte, a porta foi aberta e Cacá se assustou ainda mais com o homem barbudo que entrou. Ele segurava uma arma e parecia nervoso, pois ficou gesticulando e rosnando como se fosse um animal selvagem.

Rubão deixou o rapaz de lado por alguns segundos e, parecendo ter compreendido os gestos e os grunhidos do barbudo, sorriu:

— Está bem, está bem, Matraca, não precisa se agitar. Eu já sei o que você está tentando me dizer. O nosso convidado chegou, não é? Finalmente...

O barbudo balançou a cabeça afirmativamente várias vezes e, ainda emitindo ruídos guturais, apontou a rua, com movimentos sinuosos do braço.

— O.k., Matraca, você quer dizer que ele está perdido na cidade, é isso? Tudo bem, eu já vou resolver. — Rubão olhou para o grandalhão e ordenou: — Kid, vá buscar o nosso convidado.

Kid Montanha atravessou a sala bufando e, pela careta que fazia e pelas veias estufadas no pescoço, era visível sua contrariedade. Quando passou perto de Rubão, este o deteve com uma advertência:

— Esqueça o que aconteceu entre vocês dois no passado, ouviu? Ele é meu convidado hoje e tenho certeza de que será muito útil para os nossos negócios aqui em Aurópolis.

Cacá permanecia sentado na cadeira, agora vigiado de perto pelo barbudo armado que Rubão chamara de Matraca. Tudo o que ele pôde fazer naquele momento foi virar a cabeça a tempo de ver que Kid Montanha deixava a casa, resmungando irritado, e com um andar que lembrava muito, mas muito mesmo, um gorila em sua jaula."O que aquele animal teria feito para Patrícia tê-lo arranhado?", Cacá se interrogou. E depois pensou com aflição nos outros meninos. O homem de óculos escuros garantira que estavam bem, mas ele poderia estar mentindo, o rapaz calculou, apavorado.

3. REFLEXÕES NO CATIVEIRO

Mas Rubão não estava mentindo. Mônica, Alex e Helinho estavam bem. Isto é, se podem ser consideradas bem três pessoas aterrorizadas, presas num lugar escuro e ameaçador.

Depois de capturados, Helinho e Alex haviam sido conduzidos por Kid Montanha e Matraca até a Mina Vermelha, uma antiga escavação abandonada, cuja entrada achava-se quase escondida pelo mato no fim de uma das ruas de Aurópolis. Quando o ex-boxeador, num esforço que tornou ainda mais salientes os músculos de seus braços, destrancou e removeu a pesada porta da mina, os dois meninos quase perderam a fala.

— Deus do céu! É a Mônica — Alex exclamou, chocado com a visão da menina encolhida num canto escuro da mina.

Ele e Helinho entraram na escavação e se agacharam ao lado de Mônica, que parecia em estado de choque. Tanto que, quando a porta da mina foi retirada e a claridade do dia invadiu o lugar, ela apenas levantou os olhos para seus companheiros, como se não tivesse forças para nada além daquilo.

— Mas o que aconteceu com você, Mônica? — Helinho sentou-se ao lado da menina e afagou seu braço com delicadeza.

Mônica passara a noite trancada naquele lugar escuro e úmido. Abraçada aos dois e tremendo muito, ela passou a balbuciar palavras desconexas, numa tentativa de explicar o que tinham sido aquelas horas na escuridão, em companhia de insetos e ratos, que a encheram de terror com seus ruídos insones. Helinho e Alex ficaram tão preocupados em acalmar a amiga que nem perceberam quando Kid Montanha e Matraca deram uma última olhada satisfeita para o trio e bloquearam novamente a entrada da mina. Por uma fresta mínima, a luz do sol continuou penetrando, como se quisesse brincar com os três, lembrando que lá fora havia um dia luminoso, bem diferente daquele lugar lúgubre em que estavam aprisionados.

Depois de alguns minutos, a vista se acostumou à semiescuridão e Alex e Helinho, percebendo que Mônica recobrava a calma, tentaram examinar o local. Uma placa jogada num canto advertia: "Perigo: mina condenada". E nenhum dos dois ousou avançar no túnel escuro que havia à frente, escorado por madeiras apodrecidas pela infiltração de água. Depois de forçar sem resultado a porta na entrada da mina, Alex e Helinho sentaram-se desanimados ao lado de Mônica e os três permaneceram em silêncio por um bom tempo, cada qual entregue aos próprios pensamentos e medos.

Mônica havia conseguido se acalmar, mas ainda se mantinha encolhida, abraçada aos joelhos. A vontade de fugir se misturava à fome e à fraqueza. Ela ouvia a respiração ofegante de Alex ao seu lado e, observando-o dissimuladamente com o canto dos olhos, foi tomada por um súbito acesso de ternura. O desejo de abraçá-lo, afagar seus cabelos e passar a mão por seu rosto tornou-se quase irresistível. Ela estremeceu.

— Deus do céu! É a Mônica — Alex exclamou, chocado com a visão da menina encolhida num canto escuro da mina.

Só não o fez porque, mesmo à meia-luz, a presença de Helinho sentado à sua direita a inibiu.

Embora Alex parecesse absorto, sentado com o queixo apoiado na mão, não deixou de perceber que Mônica o fitava. Só havia um pensamento que superava sua preocupação com a situação que estavam vivendo — e esse pensamento relacionava-se com a menina de cabelos loiros encolhida a seu lado. Alex sentia uma necessidade incontrolável de falar com ela — embora não soubesse direito o que iria dizer. Olhando-a, tentou compreender o que estava acontecendo dentro de si, porque a simples visão da garota provocava nele uma espécie de calafrio.

Estavam tão próximos que, se esticasse o braço, conseguiria tocar nos cabelos dela. Houve um momento em que o olhar dos dois se encontrou e Alex, temendo que sua voz saísse hesitante, conseguiu murmurar:

— Meu Deus, o que vai acontecer com a gente?

Mônica abaixou a cabeça.

Helinho levantou-se, caminhou até a entrada da galeria da mina e lá permaneceu, apoiado na parede fria. Estava envolvido em uma luta mental bem diferente da que afligia seus dois companheiros de cativeiro. Como se fosse uma espécie de trauma, outra vez o conflito entre coragem e covardia o havia atingido.

Vivia um momento semelhante ao do assalto em sua casa: minutos antes, quando ele e Alex haviam sido trazidos para a mina pelos dois homens, aquele dilema se repetira. Enquanto Kid Montanha se esforçava para remover a porta, os dois meninos permaneceram imobilizados por Matraca, que lhes apontava a escopeta. Helinho experimentara a mesma indecisão de um ano e meio atrás: tentar ou não um salto sobre o homem que, em lugar da fala, comunicava-se emitindo grunhidos. E mais uma vez lhe faltara coragem.

Helinho não se conformava com aquilo que classificava como um novo fracasso. Se houvesse tentado alguma coisa, refletia, talvez ele e seus companheiros não estivessem agora confinados naquele lugar escuro e amedrontador. O que o tirou desses pensamentos sombrios foi a voz de Alex:

— O que será que aconteceu com o Cacá e com a Patrícia?

— Devem ter sido apanhados por essa gente também — Helinho respondeu, encaminhando-se para perto dos dois.

— E o que a gente vai fazer, meu Deus? — a voz de Mônica soava fraca e desesperançada.
— Estive pensando... Será que não vale a pena entrar nesse túnel aí e verificar onde vai dar?
A sugestão de Helinho fez com que Mônica e Alex trocassem um rápido olhar. Este levantou-se também e ficou ao lado do companheiro:
— Mas nós não temos nenhum tipo de luz, Helinho. De que adianta entrar aí se não vamos conseguir enxergar nada...
— Isso é verdade — Helinho concordou. — Mas a gente não pode ficar parado aqui, esperando sabe lá Deus o quê.
— Será que esses homens vão nos deixar aqui para sempre? — Mônica perguntou, mantendo-se ainda encolhida.
— Quem é que pode saber o que eles estão planejando? — rebateu Alex. — O que você acha que eles pretendem, Helinho?
Antes de responder, ele caminhou novamente até a porta da mina e inspecionou-a. Além de ser grossa, estava bloqueada por fora, o que afastava de imediato qualquer possibilidade de fuga por ali.
— Boa coisa é que eles não estão pretendendo. Você viu o jeito dos dois que trouxeram a gente até aqui? São assassinos, está na cara.
— Ai, meu Deus — Mônica choramingou e os dois meninos olharam na direção de seu vulto. — Este lugar deve estar cheio de cobras e ratos. Eu quero sair daqui...
A menina voltava a descontrolar-se, eles perceberam. Helinho pensou em bronquear, mas não disse nada, pois compreendia a tensão que ela havia passado durante a noite e a gravidade da situação que estavam vivendo. Alex sentou-se outra vez ao lado da menina e tocou de leve seus cabelos, o que fez com que ela erguesse a cabeça e o abraçasse, iniciando um choro convulsivo.
— E o que eles fizeram com o Cacá e com a Patrícia? — Alex indagou, enquanto tentava controlar a garota afagando seus cabelos loiros.
— Não sei, não — Helinho comentou secamente.
Ele jamais diria o que estava pensando, pois isso com certeza iria piorar ainda mais o clima naquele lugar. Mas em sua cabeça uma ideia começava a tomar uma forma cada vez mais concreta e assustadora: Cacá e Patrícia tinham sido mortos.

4. A CIDADE DO CRIME

Antes de entrar na funerária, guiado por Kid Montanha, que o olhava com desconfiança, o Homem Cinza ainda deu uma última espiada no Opala estacionado a poucos metros do sobrado e depois nas ruas de terra banhadas pelo sol. Consultando seu relógio, verificou que passava um pouco da uma e meia da tarde.

Cacá percebeu que o rosto de Rubão se iluminou quando ele avistou na porta aquele estranho homem vestido de cinza. Rubão tirou pela primeira vez os óculos escuros — o rapaz pôde notar que seus olhos eram frios como um bloco de gelo — e os dois se saudaram e se abraçaram com aquela intimidade que só os velhos companheiros têm.

— Puxa, quanto tempo, hein? — disse Rubão, ainda abraçado ao Homem Cinza, olhando-o como se avaliasse as roupas caras que ele vestia. — Mas você está ótimo, meu caro. Caramba, parece que o tempo só passa para mim...

— Que é isso, Rubão? Você está até mais jovem do que na última vez que a gente se encontrou — o Homem Cinza comentou, enquanto depositava sua maleta no assoalho da sala. — Acho que já faz uns quatro anos que a gente não se vê, não é?

— Daí pra mais. Puxa, foi naquele serviço grande que a gente fez no Paraná, lembra? — Rubão recolocou os óculos e ia falando como se os dois estivessem ali recordando travessuras de uma infância distante.

— Caramba, naquele dia você bateu o recorde de velocidade: abriu o cofre daquele banco em menos de um minuto... Mas, me diga, por onde tem andado?

— Por aí. Na verdade tenho "trabalhado" pouco, Rubão. A barra anda muito pesada não só nas cidades grandes, mas também nas pequenas. Semana passada mesmo eu soube que a polícia de São Paulo matou o Anjinho e o João Torpedo. Você lembra deles?

— Lembro, meu Deus... Cheguei a trabalhar com o Anjinho e o Torpedo há alguns anos. Quer dizer que eles dançaram, é? Que barra, hein? A polícia não está dando moleza... — Rubão baixou a cabeça e uma sombra pareceu ter passado por seu rosto. — Mas vamos falar de coisas alegres, meu caro. Deixa eu te apresentar o meu pessoal. O Kid você já conhece bem, não é?

O Homem Cinza sorriu e olhou na direção do brutamontes, que grunhiu um monossílabo.

— Claro que conheço, Rubão, dos velhos tempos. Inclusive nós estávamos juntos num trabalho em Minas em que ele não deu sorte e foi apanhado pelos tiras. Não foi isso, Kid? — o Homem Cinza perguntou, como se estivesse recordando um piquenique que não deu certo por causa da chuva. — Nem sempre a gente tem sorte nesse negócio...

Kid Montanha mostrou uma expressão magoada:

— Aquela foi uma história mal contada e todo mundo sabe disso. Só você conseguiu escapar quando a polícia chegou e o que é pior: levou o dinheiro com você...

— Ora, Kid, vai me dizer que você ainda guarda ressentimentos daquilo? Eu tive sorte quando os tiras invadiram o banco, só isso. E nem era tanto dinheiro assim o que eu consegui levar...

— Pois, pra mim, aquele lance nunca foi explicado. Sabe o que eu acho? Você deve ter dado dinheiro aos policiais pra sair dali e largou a gente na fogueira... — Kid Montanha falava olhando-o direto no rosto, num tom inconfundível de desafio.

Antes que o Homem Cinza replicasse, Rubão puxou-o pelo braço:

— Que é isso, gente? Vamos parar com essa conversa inútil. O que aconteceu entre vocês está morto e enterrado. O importante é o que vamos fazer daqui pra frente.

O Homem Cinza deixou-se conduzir por Rubão para o meio da sala, mas ele e Kid Montanha ainda trocaram um olhar carregado de tensão. Em seguida, o grandalhão fez uma careta e encaminhou-se para as escadas, subindo para o andar de cima do sobrado. Rubão falou no ouvido do Homem Cinza:

— Não liga pra ele, não. O Kid anda muito nervoso por estarmos aqui isolados, mas agora ele arrumou uma namoradinha e as coisas vão melhorar, tenho certeza.

Ao ouvir isso, Cacá lançou um olhar enfurecido na direção da dupla. Rubão ignorou-o e prosseguiu com as apresentações:

— Aquele ali é o Matraca, o nosso vigia — informou, apontando o barbudo que segurava uma escopeta ao lado de Cacá. — Está comigo há bastante tempo e é de plena confiança. Com uma vantagem: o Matraca é mudo. Assim, não fica enchendo a cabeça da gente com bobagens, como às vezes acontece com o Kid.

O Homem Cinza apertou a mão de Matraca, deu uma rápida olhada no rapaz sentado na cadeira e então voltou-se para a loira.

— E esta é a Lili, minha paixão — Rubão explicou, passando a mão pelo rosto da mulher. — Quando a gente se conheceu, ela era dançarina numa boate de São Paulo, mas eu a "roubei" pra mim, não é, Lili?

A pele da loira estava tão pálida que parecia fundir-se à roupa branca que ela vestia. Quando Lili e o Homem Cinza se encararam, o rosto dela pareceu tocado por um halo de luz e ela sorriu, estendendo a mão de unhas bem cuidadas. O Homem Cinza correspondeu ao sorriso e, numa mesura, curvou-se para beijar a mão da mulher, murmurando "encantado". Rubão parecia satisfeito:

— Hum, você é mesmo um perfeito cavalheiro — ele disse, sentando-se na poltrona e indicando outra para o amigo. — Bem, agora vamos falar dos nossos planos. Temos muito o que fazer aqui em Aurópolis.

O Homem Cinza sentou-se, depositou sua maleta ao lado da poltrona e apontou para Cacá, que continuava na mira da arma de Matraca:

— E este pivete, é o mascote de vocês?

— Bem, digamos que ele é nosso hóspede — Rubão respondeu, lançando um sorriso cínico na direção do rapaz. — É o seguinte: faz quase três meses que nós ocupamos esta cidade. E as primeiras pessoas que apareceram por aqui depois disso foram ele e os amiguinhos dele. Então nós tivemos de agir porque são garotos muito abelhudos e poderiam arruinar nossos planos.

— Bom, e que planos são esses, Rubão? Confesso que estou morrendo de curiosidade desde que a dona da boate Lampião deu a dica de que eu deveria vir procurá-lo aqui neste fim de mundo. Achei estranho alguém se lembrar de mim, pois fazia quase dois anos que eu estava escondido no interior de Minas e não ia a São Paulo. E outra coisa: foi muito difícil encontrar este lugar: ninguém sabe onde fica e nem existe nos mapas...

— E esse é o lado bom da coisa, meu caro. Pense bem: é um lugar onde ninguém pensaria em nos procurar, você não acha?

— Isso é verdade — o Homem Cinza concordou, mas manteve a testa franzida de curiosidade. — Bom, e o que vamos ficar fazendo aqui?

— Aí é que está — Rubão exclamou, batendo na coxa do outro. — Minha ideia é trazer todos os nossos amigos para morar em Aurópolis. A polícia nunca vai nos incomodar aqui.

— Ainda não estou entendendo...

— Ora, meu amigo, aos poucos vamos transformar Aurópolis numa cidade dedicada exclusivamente aos nossos negócios. Aqui, ninguém nunca vai nos incomodar. E todos poderão sair por aí fazendo o serviço, com a certeza de que na nossa cidade estarão bem abrigados.

— Você vai me desculpar, Rubão, mas estou achando isso uma ideia meio maluca. — O Homem Cinza abriu os braços e olhou para Lili, como se também estivesse falando com ela. — Quem garante que os caras vão querer se enfiar neste fim de mundo?

— Ora, ora, não seja pessimista, meu amigo. Você mesmo não reconheceu que a polícia não está dando moleza pra ninguém? Pois então. Isso aqui viraria uma espécie de refúgio, para onde todos poderiam voltar depois de "trabalhar" por aí. Se este lugar já estivesse do jeito que eu quero, o Anjinho e o João Torpedo não teriam morrido...

— Bom, isso é verdade. Se eles tivessem um bom esconderijo estariam vivos a esta hora.

— Viu como eu tenho razão? — Rubão vibrou quando percebeu que o outro, pouco a pouco, ia se convencendo de sua ideia. — Imagine só daqui a algum tempo: esta cidade vai estar tão cheia de gente que, mesmo se a polícia descobrir que estamos aqui, ninguém vai se atrever a invadi-la. Só o Exército pra nos tirar daqui, meu amigo. Sabe como eu tive essa ideia? Lendo, meu caro, lendo. Uma vez li que, antigamente, os corsários se refugiavam no Caribe depois de pilhar os navios em alto--mar. Não é bárbaro isso?

— Ainda não sei se vai dar certo, Rubão. Em todo caso, onde eu entro nesta história?

— Ah, sabia que você ia perguntar isso. Escolhi você por causa de suas habilidades: é o maior arrombador de cofres do país. Com o tempo, você vai dar um curso para os nossos amigos que estiverem morando aqui e eles vão poder fazer a limpeza nos bancos por aí. Pense bem: eles fazem o serviço e voltam para cá numa boa, para a "nossa cidade".

— E o que eu ganho com isso? — quis saber o Homem Cinza, que estava meio assustado com o tom estranho da voz de Rubão.

— Simples. Para morar em segurança aqui, todo mundo vai pagar uma porcentagem dos roubos pra gente. Nós só vamos administrar a

— Só o Exército pra nos tirar daqui, meu amigo — Rubão desafiava, exibindo um estranho brilho nos olhos.

cidade. Estou pensando até em reativar o banco pra guardar o dinheiro do pessoal, ah, ah, ah.

O Homem Cinza e Lili trocaram um olhar rápido. E Rubão, tirando os óculos escuros, exibiu um brilho insano nas pupilas. Ficou em pé para dar maior enfase às suas palavras:

— Com o tempo, vou reabrir o jornal de Aurópolis e, quem sabe, a gente até faça uma eleição pra escolher o prefeito. Já pensou? Vai ser uma cidade normal, exceto por seus habitantes...

— Olha, Rubão, eu preciso pensar direito nessa história. Reconheço que é uma coisa que pode dar certo. Nos últimos tempos precisei ficar me escondendo por aí por causa da polícia e foi um inferno para achar um lugar decente... Mas não sei, preciso pensar.

— Claro, claro, meu amigo. Pode pensar à vontade. A Lili vai te levar até o seu quarto no hotel. Você vai ver que já temos algumas mordomias.

Dizendo isso, Rubão levantou-se e fez sinal a Lili para que acompanhasse o visitante, com uma recomendação:

— Lili, não se esqueça de religar a energia elétrica do hotel. Ontem nós tivemos que desligar a força lá por causa desses abelhudos — explicou ao amigo. — Mas mesmo assim eles resolveram ficar e deu no que deu.

O Homem Cinza apanhou sua maleta e, acompanhando Lili, deixou a funerária. Rubão levantou-se e sorriu para Matraca:

— Vá chamar o Kid. Chegou a hora de dar um jeito neste nosso amiguinho.

Cacá, que ainda estava chocado com a conversa que acabara de presenciar, sentiu um calafrio no estômago. Ele continuava sentado e algemado e ouviu, impotente, a outra frase de Rubão:

— Não se preocupe, Cacá. Eu garanto que não vai doer nada. Como você sabe, eu detesto violência.

5. UM HOMEM APAIXONADO

Minutos antes, quando deixara a sala e subira as escadas rumo ao andar de cima do sobrado, Kid Montanha mal conseguia controlar a raiva. Considerava o Homem Cinza um traidor e, por causa dele, ficara uns bons anos na cadeia. Tinha esperado tanto por uma oportunidade como aquela. Agora que tinha a chance de acertar as contas com o sujeito, era obrigado a engolir seu ódio porque o homem se tornara importante para os planos de Rubão. Embora o Homem Cinza estivesse ao alcance de suas mãos, nada podia fazer. Não se conformava. E sentia uma vontade danada de descarregar seu ódio esmurrando as velhas paredes da funerária.

No momento em que girou a chave, no entanto, e abriu a porta de um dos quartos, a profunda frustração que sentia desapareceu como por encanto. Kid Montanha experimentou um sentimento que, por ser novo, ainda não compreendia direito. O motivo para essa mudança de humor era a garota que estava de cócoras, encolhida num canto do quarto. Patrícia.

Kid fitou-a com adoração e, por alguns segundos, algo parecido com ternura substituiu a expressão feroz em seu rosto. Ele fechou a porta atrás de si e ficou imaginando a maneira certa de tocá-la — como um sujeito desajeitado faria numa loja de cristais finos.

Patrícia levantou a cabeça e seus olhos inchados de tanto chorar divisaram a criatura enorme parada à sua frente.

— Não toque em mim — ela choramingou, encolhendo-se mais ainda de encontro à parede.

— Não tenha medo, menina, eu não vou fazer mal a você — Kid Montanha tranquilizou-a, sentando-se na beirada da cama e tentando dar à voz poderosa um tom adocicado. — Eu quero ser seu amigo.

— Me deixe ir embora, pelo amor de Deus — Patrícia implorou, colocando a cabeça entre os joelhos.

— Ah, isso não é posssível, não. Você vai ficar aqui, mas eu vou proteger você, não se preocupe. Eu quero ser seu amigo.

Kid Montanha esticou o braço e tocou a cabeça de Patrícia, o que fez com que ela recuasse, num misto de pânico e repulsa.

— Não precisa ter medo de mim — ele repetiu, pondo-se outra vez em pé. — Já falei: eu só quero ser seu amigo.

— Mas eu não quero! — Patrícia gritou, voltando a chorar. — Eu quero ir embora...

— Veja uma coisa: você me arranhou naquela hora e eu deveria ter ficado zangado, não acha? Mas tudo bem, eu já te perdoei... — A mão de Kid avançou novamente na direção do rosto de Patrícia.

Quando aqueles dedos grossos estavam a poucos centímetros de sua face, Patrícia reagiu de repente e cravou os dentes na mão do homem. Ele soltou um berro e pulou para trás.

— Ai, assim você me machuca — reclamou, fazendo uma careta de dor e esfregando a mão atingida. — Você é muito brava, menina. Olhe que eu também fico nervoso, hein?

Kid permaneceu olhando aquela criatura frágil à sua frente. Sabia que bastava um tapa e ela se desmancharia como um castelo de cartas. Mas sabia também que jamais teria coragem de erguer a mão para a menina. Queria conquistar a confiança dela, só isso. Então continuou:

— Sabe que uma vez eu matei um cara com um soco? Sério. Ele me provocou e naquela época eu era lutador de boxe. Bati uma vez só, na cabeça. Ele caiu que nem uma árvore velha...

Patrícia arregalou os olhos e percebeu um sorriso nostálgico no rosto do grandalhão.

Kid Montanha fechou os olhos por um momento:

— Eu só queria assustar o cara, mas calculei mal a força do soco. Coitado, foi nocaute total. Mas quem mandou me provocar, né? Isso estragou a minha vida porque depois tive que fugir e precisei abandonar o boxe.

Patrícia começou a tremer quando o homem avançou mais uma vez em sua direção. Encolhida contra a parede, a única coisa que restava fazer era fechar os olhos. E foi o que ela fez, prendendo a respiração e esperando. Quando Kid Montanha ia tocá-la, três batidas soaram na porta. Ele fez uma careta de desgosto e atravessou o quarto.

A porta foi aberta e Kid deu de cara com Matraca, que se pôs a grunhir e a gesticular. O brutamontes ouviu aquela confusão de sons guturais e só então falou:

— Já entendi, Matraca. O chefe quer que eu leve o Cacá para a Mina Vermelha, não é? Está bem, já vou descer.

Enquanto Matraca se afastava pela escada, Kid voltou outra vez para perto de Patrícia. Agachando-se, falou em voz baixa:

— Aguenta um pouco aqui, menina, que eu tenho um servicinho pra fazer, mas já volto. Daí a gente vai conversar direito. E eu não quero mais saber de mordidas e arranhões, tá? Você está avisada.

Patrícia ergueu a cabeça a tempo de ver aquele homem musculoso deixando o quarto. No momento em que escutou o ruído da chave trancando a porta, ela se levantou. Tinha acabado de ouvir o brutamontes pronunciar o nome de Cacá, o que significava que o namorado estava vivo. Talvez os outros ainda estivessem também, pensou, enchendo-se de esperança. Sabia que estava correndo sérios riscos e não podia ficar de braços cruzados. Quando o ex-lutador de boxe voltasse, ia ser impossível detê-lo com arranhões e mordidas. Portanto, tinha de agir.

Patrícia foi até a janela que dava para os fundos da funerária. Já havia feito aquilo quando Kid Montanha a trouxera para o quarto e se assustara com a altura que teria de vencer para escapar dali. Mas agora não havia mais escolha: ou fugia ou teria de enfrentar aquele homem horrível outra vez. E só de pensar nisso, sentiu um arrepio na espinha.

Caminhando pelo quarto, ela olhou para o guarda-roupa e uma ideia se formou em sua cabeça. Abrindo a porta do móvel, viu as roupas que com certeza pertenciam ao grandalhão e, revirando-as, encontrou o que procurava: lençóis.

6. RECORDAÇÕES DO PASSADO

O Opala cinza deslizou pelas ruas de terra, rodando na direção da praça central de Aurópolis. Ao volante, o Homem Cinza sorria, parecendo achar alguma coisa muito engraçada. No banco ao seu lado, Lili resolveu romper o silêncio:

— Pra que vir de carro, Rodolfo? — perguntou, olhando para ele.

— Aqui uma coisa é pertinho da outra e a gente podia ter vindo a pé. Veja, o hotel fica naquela praça logo ali...

O sorriso do Homem Cinza alargou-se — e agora ele tinha um motivo concreto para achar graça. Afinal, era a primeira vez em muito tempo que alguém o chamava por seu nome verdadeiro. Balançou a cabeça, divertido, antes de falar:

— Sabe que às vezes eu até me esqueço de que meu nome é Rodolfo? Pelo jeito o tempo que passamos longe um do outro não foi suficiente para que você esquecesse isso, Lili.

— Isso e muitas outras coisas — a loira retrucou, ao mesmo tempo que, vencendo uma certa hesitação, passou a mão com delicadeza pelo rosto do Homem Cinza. — Sabe que eu não acreditei quando o Rubão revelou quem era o convidado que ele tanto esperava? Eu falei comigo mesma: é bom demais, não pode ser verdade...

— Eu também levei um susto tremendo quando entrei naquela casa e te vi ao lado dele. Como é que eu podia imaginar que, depois de tanto tempo, ia me reencontrar com você aqui neste fim de mundo? — O Homem Cinza tirou uma das mãos do volante e segurou a de Lili em seu rosto.

— Caramba, se o Rubão desconfiasse que a gente já se conhecia... Sabe que ele é ciumento à beça? Acho que manda matar a gente se descobrir que já fomos namorados.

O Opala já tinha entrado na pequena praça e o Homem Cinza girou o volante, contornando-a e estacionando o carro em frente à entrada do Hotel Majestic. Ele examinou a fachada do prédio e desligou o motor. Depois, virou-se no assento, de modo a ficar de frente para a mulher.

— Quanto tempo faz, Lili?

— Quase dois anos, Rodolfo. Na última vez em que nos vimos, nem me passava pela cabeça que um dia teria que sobreviver como dançarina de boate. — Ela ergueu os olhos claros para o teto do carro e eles estavam tristes, como se a mulher estivesse se lembrando de algo muito ruim. — Mas quando você se mandou para o interior de Minas, a coisa apertou e eu tive que me virar.

— Você sabe que eu precisava fugir, Lili. Toda a polícia de São Paulo estava me caçando depois que eu limpei os cofres do Banco Central, lembra? Um delegado federal morreu naquele lance e eu não tive escolha. Se fosse apanhado, não estaria aqui a esta hora.

— Eu sei disso, Rodolfo — Lili concordou, com uma expressão ainda melancólica. — Mas você não faz ideia do que eu sofri nesses tempos... O que eu não me conformo é que a gente estava quase indo morar junto quando tudo aconteceu. Cheguei até a passar fome, foi uma coisa doida, meu Deus. Não gosto nem de lembrar. Até que conheci o Rubão na boate e topei essa loucura dele de vir para este lugar onde Judas perdeu as botas. Eu também não tinha muita escolha.

O Homem Cinza ficou por algum tempo em silêncio, enquanto mexia na franja loira da mulher. Em seguida, ajeitou-se no banco, aproximando seu corpo do dela.

— Você ainda está zangada comigo? — perguntou.

Lili estava mais pálida do que nunca e mantinha o olhar fixo no rosto do homem à sua frente, como se pudesse enxergá-lo por dentro. De repente seus olhos brilharam e uma lágrima quente deslizou-lhe pela face.

— Eu fui muito feliz no tempo em que estivemos juntos, Rodolfo. Foi muito difícil ficar sozinha quando você foi embora.

O Homem Cinza passou as costas da mão no rosto da loira, limpando a lágrima, antes de falar:

— Pra mim também não foi fácil, Lili. Eu sabia que você estava sendo vigiada e, se eu voltasse a São Paulo pra te buscar, poderia ser morto pela polícia. Mas acredite: também sofri muito longe de você.

— Quer me enganar que você ficou sozinho durante todo esse tempo?

Esticando o braço, o Homem Cinza abriu o porta-luvas do carro e apanhou uma caixa de lenços de papel, entregando-a à mulher. Voltando à posição anterior, ele falou:

— Houve algumas mulheres... Mas nenhuma foi importante, Lili. Nenhuma como você.

A mulher enxugou os olhos e assoou o nariz. Depois olhou para fora do carro, como se procurasse na rua as palavras que ia utilizar:

— E agora que estou com o Rubão, você reaparece... O que a gente vai fazer?

— Você está apaixonada por ele? — o Homem Cinza perguntou e, diante do silêncio de Lili, prosseguiu falando: — Quer que eu te diga uma coisa? Conheço bem o Rubão. Ele costuma usar as mulheres e depois joga fora, como se fosse um maço de cigarros vazio.

— Ele foi bom pra mim, Rodolfo, me livrou da fome. Está certo que eu odeio ficar aqui neste lugar horrível, cozinhando e lavando para esse bando de marmanjos, mas o plano é muito importante para o Rubão...

— O plano dele é a coisa mais maluca que eu já ouvi. Esse sujeito perdeu o senso, é um megalomaníaco. — Enquanto falava, o Homem Cinza se lembrou do brilho insano nos olhos de Rubão ao descrever seus planos. — Escuta, Lili, eu nunca imaginei que ia te reencontrar. Ainda mais num lugar como este. Mas te garanto: você não vai fugir de mim, agora. Nunca mais, viu?

Ele segurou o rosto da mulher entre as mãos e lentamente foram se aproximando até se unir num beijo demorado. E assim permaneceram por um longo tempo, até que Lili, encostando a cabeça no peito dele, abraçou-o com força e murmurou:

— Ah, Rodolfo, o que vai ser da gente, meu Deus?

O Homem Cinza ouvia a respiração ofegante de Lili, enquanto olhava pelo retrovisor do Opala e via a nuvem de poeira que o vento levantava na praça. Beijando os cabelos loiros da mulher, propôs:

— Vamos cair fora daqui, Lili. Eu tenho algum dinheiro e podemos recomeçar a nossa vida em outro lugar. Como nos velhos tempos.

A frase, o homem percebeu, provocou um forte tremor em Lili. E quando ela falou, sua voz soou cheia de medo:

— O Rubão vai nos matar, Rodolfo. Ele nunca vai aceitar ser abandonado assim e não vai descansar enquanto não nos encontrar... Você percebeu a sede que o Kid está de te pegar? Ele é um selvagem, meu Deus, vive lembrando o dia em que matou um sujeito com um soco. Eu morro de medo dele.

— Eu conheço bem a fera, Lili, ele é um bobalhão, isso sim — o Homem Cinza replicou e nesse momento sentiu a pressão da automática em sua cintura. Pegando a arma, exibiu-a para a loira e depois colocou-a no painel do carro. — Se ele bancar o engraçadinho comigo, vai morrer cheio de chumbo.

Lili aumentou ainda mais a força de seu abraço. Encostada no peito do homem, conseguia ouvir o coração dele batendo acelerado.

— Vamos embora, Lili. Eu acho essa ideia do Rubão maluca e não tenho nada que fazer aqui. Para que perder mais tempo? Vamos cair fora já.

— Ele vai matar a gente, Rodolfo — Lili insistia, enquanto as lágrimas voltavam a correr por seu rosto. — Nenhum lugar vai ser seguro para nós...

O Homem Cinza tomou outra vez o rosto trêmulo da mulher em suas mãos e beijou-a com sofreguidão, esquecendo-se completamente do lugar e das circunstâncias em que os dois se encontravam. E esse foi seu erro.

Se tivesse olhado outra vez pelo retrovisor, o Homem Cinza teria visto que o vento cessara por momentos e conseguiria enxergar na poeira que baixava um trio se aproximando da praça. À frente vinha Cacá, ainda com os braços algemados para trás. Ao seu lado esquerdo caminhava Kid Montanha, com sua camiseta encardida e os músculos salientes à mostra, enquanto Matraca, segurando a inseparável escopeta, escoltava o rapaz à direita. O destino dos três era a mina abandonada, onde Cacá também seria confinado. Mas assim que entraram na praça, Kid viu o casal se beijando no Opala estacionado na porta do hotel. Esticando o braço, ele deteve Cacá e Matraca, obrigando-os a se ocultar junto dele na esquina.

Ficou alguns segundos observando o beijo, como se saboreasse a cena com grande prazer. Quando falou, sua voz estava grossa como nunca — e carregada de ressentimento:

— Mas a Lili é mesmo uma grande vagabunda... Fique aqui e tome conta do rapaz, Matraca.

Atônitos, Matraca e Cacá viram Kid Montanha sorrir, pegar o revólver que levava preso ao cinto e então caminhar com cautela em direção ao carro. Antes, ele anunciou:

— Chegou a hora de acertar as contas com o canalha, Matraca. Agora o Rubão vai me dar razão. E tenho certeza de que ele ainda vai me agradecer muito por eu ter matado esse traidor sujo...

7. MENINA CORAJOSA

Com um esforço sobre-humano, mas impulsionada pelo terror que sentia, Patrícia conseguiu descer pela janela do sobrado, usando a corda que improvisara amarrando vários lençóis e prendendo a ponta de um deles no pé da cama. Quando chegou ao solo nos fundos da funerária, tinha os braços arranhados pelo atrito contra a parede, mas estava aliviada por ter se livrado das investidas de Kid Montanha.

Patrícia estava dividida: seu desejo imediato era fugir daquela cidade sem perder mais nenhum minuto, mas ao mesmo tempo pensava em Cacá, na irmã e também em Helinho e Alex. Com base no que ouvira quando Kid Montanha fora chamado pelo homem barbudo no quarto, calculava que todos estavam aprisionados na tal Mina Vermelha mencionada pelo grandalhão.

Encostada na parede, a menina esfregou os braços feridos e se perguntou como faria para encontrar a mina. Ainda indecisa quanto à atitude que tomaria em seguida, pressentiu que o mais sensato seria afastar-se depressa dali. Assim, começou a caminhar pelo beco que existia nos fundos da funerária e, antes de entrar na viela à sua frente, olhou para trás e viu a corda de lençóis pendendo da janela do quarto.

Esgueirando-se com cuidado, a menina chegou ao fim da via estreita e percebeu assustada que esta desembocava numa rua mais larga. À sua esquerda, erguia-se o prédio cinza da funerária.

Patrícia ficou parada por alguns instantes, calculando quais as chances de sair correndo sem ser vista por alguém do sobrado. Oculta pela esquina, olhou para trás de repente, pois tivera a nítida sensação de que alguém a vigiava. Como a ruela estivesse vazia, concluiu que seus nervos lhe pregavam uma peça.

Quando olhou para a direita, porém, na direção da praça, estremeceu: na esquina, a duas quadras de onde se encontrava, estava uma dupla que reconheceu de imediato, embora os visse pelas costas — Cacá e Matraca. Empunhando a escopeta, o homem barbudo segurava o braço do rapaz algemado e o mantinha encostado à parede, como se espionasse alguma coisa no largo.

Patrícia seria incapaz de explicar como arranjara coragem para agir. Mas o fato é que, dando uma última olhada para a porta da funerária, começou a caminhar na direção da praça, mantendo o corpo rente às casas da rua. Preocupada em andar rápido, e torcendo para que o homem barbudo não olhasse para trás, tomava o máximo cuidado em não fazer barulho. E nem passou por sua cabeça a ideia de dar uma espiada por sobre o ombro. Se tivesse feito isso, Patrícia provavelmente teria desmaiado com o susto, pois era seguida de perto.

Quando se achava a poucos metros da dupla, ainda caminhando encostada à parede, sua presença foi notada por Cacá, que, vislumbrando-a com o canto dos olhos, só conseguiu abrir a boca, num misto de terror e espanto.

Patrícia estava agora tão próxima do homem barbudo que conseguia sentir a tensão que o namorado vivia. Ela olhou para Cacá, erguendo as sobrancelhas, como se indagasse o que deveria fazer — e ele arregalou os olhos, pois percebeu a figura que, também se esgueirando junto à parede, mantinha-se poucos passos atrás de Patrícia, como se fosse sua sombra.

Não suportando mais a situação, Cacá prendeu a respiração e, reunindo todas as suas forças, jogou o ombro com violência contra Matraca. Atento ao que se passava na praça, o barbudo foi apanhado de surpresa e emitiu um grunhido rouco, deixando cair a escopeta e tombando para o lado.

Embora estivesse algemado, Cacá tentou pular em cima de Matraca, antes que ele recuperasse a arma, percebendo que Patrícia se aproximava com a mesma intenção. Mas o homem foi mais rápido e, com um giro de corpo, aplicou uma rasteira em Cacá, derrubando-o também. Quando rolou para o lado, buscando a escopeta, o joelho da meni-

A presença de Patrícia foi notada por Cacá, que só conseguiu abrir a boca, num misto de terror e pânico.

na atingiu suas costas. Sem olhá-la, Matraca usou a mão direita para golpeá-la no tornozelo, o que fez com que Patrícia se desequilibrasse.

Com uma agilidade surpreendente, o homem barbudo pôs-se de joelhos, ao mesmo tempo que alcançava a arma no chão. E tentou levantar-se, com a clara intenção de atirar, mas um golpe o deteve. Matraca nem teve tempo de perceber o que o havia atingido com força na base do crânio, produzindo um som seco. Seus olhos giraram e ele desabou na rua de terra.

Com dificuldade, Patrícia ajudou Cacá a levantar-se. Pegou o chaveiro que Matraca carregava preso ao cinto, livrou o namorado das algemas e o abraçou. Foi nesse momento que Cacá percebeu que a bronca da namorada havia passado. Finalmente ambos olharam para o velho Bartolomeu que, com um golpe certeiro de seu cajado, havia abatido o homem barbudo. Os dois estavam trêmulos e Patrícia permaneceu agarrada a Cacá, frente a frente com aquele sujeito desgrenhado, sem compreender direito o que iria acontecer em seguida.

— Os fantasmas... Eles não gostam de estranhos aqui na cidade... — o velho murmurou, apoiando-se outra vez no cajado.

Cacá e Patrícia se entreolharam numa aflição muda. E como se estivessem sendo atraídos por um poderoso ímã, os três se voltaram ao mesmo tempo para a praça, mais precisamente para a porta do Hotel Majestic. Naquele momento, sem desconfiar do que havia acontecido na esquina, Kid Montanha havia chegado ao Opala.

8. KID MONTANHA X HOMEM CINZA

Lili viu primeiro, por cima do ombro do Homem Cinza, o grandalhão musculoso que se debruçava na janela do carro. Ela deu um grito e livrou-se do abraço, mas o Homem Cinza não teve tempo nem de se virar, pois sentiu o cano do revólver encostado na sua cabeça.

— Pronto, seu traidor duma figa, chegou a sua hora. — Kid Montanha salivava de prazer, apertando a arma contra a nuca do Homem Cinza. — Agora eu vou cobrar com juros tudo o que você me deve, canalha!

Numa reação instintiva, o Homem Cinza levantou os braços, tocando o teto do Opala. Permanecia olhando para os olhos verdes de Lili e a mulher estava tão apavorada que não conseguia se mexer. Quando Kid

Montanha falou, ela teve a impressão de que a raiva que ele sentia naquele instante deixava sua voz ainda mais rouca:

— Desça, que eu quero matar você aqui fora.

O Homem Cinza ainda deu uma última olhada para Lili, como se estivesse se despedindo dela, antes de girar o corpo e encarar seu oponente. Quando fez isso, chegou a se assustar com o brilho que havia nos olhos de Kid Montanha.

— Espere aí, Kid, acho que a gente pode conversar — tentou balbuciar, mas o grandalhão agitou a arma perto de seu rosto.

— Sem papo, traidor. Vai descer ou prefere que eu te mate aí mesmo? — Kid perguntou, engatilhando o revólver, o que provocou um clique que fez Lili levar a mão à boca, horrorizada.

Procurando evitar qualquer movimento brusco que fizesse o ex-boxeador disparar, o Homem Cinza abriu a porta do carro e colocou os pés para fora. Kid Montanha não tirava os olhos do alvo nem por uma fração de segundo. O Homem Cinza pensou em empurrar bruscamente a porta do Opala, fazendo com que batesse no grandalhão, mas este pareceu adivinhar sua intenção, pois se afastou um pouco e o manteve na mira da arma.

— Que besteira é essa, Kid? Acho que a gente pode resolver esta questão como amigos...

— Ah, ah, ah... Agora você vem me falar em amizade? E quando me abandonou naquele banco, mesmo sabendo que os policiais iam me agarrar? Traidor!

O Homem Cinza saiu do carro e manteve os braços erguidos, numa atitude muito mais defensiva do que de rendição. Kid Montanha fez um sinal para que ele se afastasse do veículo. Assim, frente a frente, percebia-se a grande diferença física entre os dois: enquanto o Homem Cinza parecia uma figura frágil, o ex-boxeador era pelo menos dois palmos mais alto e muito mais forte.

— Com suas roupas de bacana, você é só pose, seu idiota. E agora, cadê a sua segurança? — Kid Montanha provocou, sorrindo do pavor que se estampava no rosto do outro.

— Que é isso, Kid? Pense bem, eu tenho muito dinheiro escondido e posso deixar você rico — o Homem Cinza blefou, procurando ganhar tempo, enquanto tentava imaginar um jeito de salvar a pele.

— Não estou ligando para o seu dinheiro. Além do mais, você não vai poder gastar nem um centavo daqui a pouco. E não se preocupe que, agora sim, você vai virar um sujeito cinza de verdade — o grandalhão retrucou, apontando-lhe a arma para a cabeça. — Se quiser, pode começar a rezar.

— Sabe o que eu acho, Kid? Que você não passa de um grande covarde. Sempre contando essa história falsa sobre o coitado que você matou com um soco. Isso é uma grande mentira — o Homem Cinza falava com uma segurança que estava longe de sentir. — Você só é o bom porque está aí com essa arma. Queria ver se estivesse desarmado... Eu te arrebentava, bobalhão.

— Pensa que eu não sei que você está se borrando de medo? — Kid Montanha fora atingido em sua vaidade, mas tentava se controlar, embora sua respiração estivesse alterada. — Se quisesse, eu partiria você ao meio usando só uma das mãos.

— Conversa fiada, seu gorila. Você não deu certo como lutador porque só apanhava. Eu sempre soube disso. Kid Montanha... — As duas últimas palavras foram ditas pelo Homem Cinza em tom de desdém. — Você não passa de uma montanha de gordura, isso sim.

— Eu vou te matar agora. — Descontrolado, o ex-boxeador apontou a arma com mais cuidado, fechando um dos olhos, como era sua característica ao fazer pontaria.

— Pode matar, seu covardão. — O Homem Cinza ergueu a cabeça, numa atitude de desafio, tomado por uma súbita frieza. — Só assim mesmo, com um revólver. De mãos limpas, eu fazia picadinho de você.

Kid Montanha bufou. Seu rosto assumiu uma expressão feroz, que lembrava muito a cara de um gorila contrariado. De repente, ele jogou longe o revólver e, num gesto ágil, agarrou o Homem Cinza pelo paletó, socando-o diretamente no rosto. O golpe fez com que o homem fosse arremessado de encontro à lateral do carro e depois tombasse para frente, como um manequim desequilibrado. Kid Montanha se aproximou, mantendo os punhos em guarda e se surpreendeu quando viu que o outro ainda se mexia no chão. Ele sentiu uma ponta de tristeza, pois percebeu que já não era capaz de matar alguém com um único golpe.

Com dificuldade, o Homem Cinza ergueu-se do chão. O soco tinha transformado seu nariz numa massa ensanguentada, que começava a inchar de imediato. Ele cuspiu para o lado e levantou-se, fechando também as mãos. Como um raio, Kid Montanha partiu para o ataque, mas, para seu espanto, o adversário conseguiu esquivar-se dos dois cruzados que ele tentou aplicar. Um soco fulminante do Homem Cinza veio de encontro ao olho de Kid Montanha, seguido por uma joelhada no estômago. Foram golpes que teriam posto a nocaute uma pessoa comum, mas o ex-boxeador deu apenas dois passos para trás, muito mais atônito do que ferido.

Cego de ódio, Kid Montanha percebeu que teria de tomar cuidado ou então, como acontecia no boxe, iria se tornar uma presa fácil. Era inacreditável para ele, mas o Homem Cinza bailava à sua frente, como se estivesse num ringue, mantendo a guarda erguida. O grandalhão gingou para a esquerda, como fazia nos velhos tempos, e o truque funcionou, pois o Homem Cinza desviou-se um pouco para a direita — exatamente o que o ex-boxeador queria que ele fizesse. O golpe de Kid Montanha atingiu em cheio o fígado de seu oponente, fazendo-o revirar os olhos. A sequência veio na forma de dois socos seguidos no rosto, outro na altura do estômago e uma cotovelada no peito, que teve o som inconfundível de ossos se quebrando, e fez com que o Homem Cinza saísse alguns centímetros do chão antes de se estatelar de costas.

A raiva de Kid Montanha ainda não estava aplacada e ele ergueu o homem do chão. Segurando-o pelo paletó com a mão esquerda, passou a bater em seu rosto com a direita, ao mesmo tempo que grunhia uma série de palavrões. O som dos golpes chegava até o Opala, colocando Lili em pânico. Ela viu que o rosto do Homem Cinza já estava irreconhecível, mas Kid Montanha prosseguia batendo. A loira sabia que seria o próximo alvo da fúria do grandalhão, assim que ele acabasse de matar o homem que ela amava. Desesperada, Lili olhou para o painel do Opala e concluiu que só tinha uma saída.

— Cadê a sua valentia, agora? — estava falando Kid Montanha, embora o Homem Cinza naquele momento não pudesse ouvir nada. — Viu o que acontece com quem desafia o grande Kid Montanha?

Depois de dizer isso, o grandalhão ergueu o punho direito e preparou-se para desferir o golpe de misericórdia na cabeça de seu indefeso adversário. Mas, de repente, o braço ficou paralisado no ar. Tudo aconteceu com a rapidez da luz: Kid Montanha ouviu um som seco, que lhe pareceu um estampido, e sentiu o cérebro virar uma bola de fogo. Ele soltou o paletó do Homem Cinza, que desabou no chão, passou a mão na parte de trás da cabeça e viu, horrorizado, que havia sangue ali. O homenzarrão teve a intuição de que naquele instante acabava a carreira do homem chamado Isidoro, que um dia sonhara ser campeão de boxe com o apelido de Kid Montanha. Antes de cair fulminado, ele ainda teve

85

tempo de virar o corpo e ver o rosto assustado de Lili, como se ela não entendesse direito o que tinha acabado de fazer. Pálida como a parede de um quarto de hospital, a loira estava em pé ao lado do Opala e segurava a pistola automática do Homem Cinza.

9. O SEGREDO DE BARTOLOMEU

O som do tiro na cidade silenciosa serviu para despertar Cacá, Patrícia e o velho Bartolomeu, que, imóveis na esquina, assistiam à luta como que hipnotizados. Eles se entreolharam, mas antes que alguém pudesse dizer qualquer palavra, um grito vindo da porta da funerária os assustou:

— Ei, vocês! Parem aí.

Rubão também ouvira o disparo e, apanhando sua arma, saíra com rapidez à rua para descobrir o que acontecia. E não ficou nem um pouco contente com o que presenciou na esquina: o velho Bartolomeu, acompanhado por Cacá e Patrícia e, atrás deles, o corpo de Matraca estirado no chão. Ele atirou para o alto e correu em direção ao grupo.

Assustada, Patrícia cravou involuntariamente as unhas no braço do namorado e puxou-o, embora não soubesse para que lado correr. Os dois estavam tontos e o que os salvou nessa indecisão foi a voz do velho Bartolomeu, que, olhando para o homem que se aproximava correndo e atirando para o alto, comandou:

— Venham comigo. Depressa.

Os dois nem pensaram em discutir se valia ou não a pena aceitar a ordem. Apenas se deixaram levar, acompanhando aquela figura maltrapilha, que atravessou a rua sem perda de tempo, caminhou alguns metros e empurrou a porta de uma das casas em ruínas. Cacá e Patrícia entraram numa sala iluminada pela luz do sol da tarde, que penetrava pelos inúmeros buracos existentes no telhado.

O velho havia apanhado um lampião e fez sinal para que o seguissem. Bartolomeu passou a tranca na porta e depois avançou por um corredor, que ainda conservava poças d'água da chuva do dia anterior.

A passagem terminava subitamente e, apesar da pouca iluminação, Cacá e Patrícia puderam notar que as tábuas do assoalho haviam sido arrancadas e, em seu lugar, existia uma escada de madeira, que devia dar acesso, conforme o casal pensou, ao porão da casa.

De repente, Kid Montanha ouviu um som seco e sentiu o cérebro virar uma bola de fogo.

Mas aquilo estava longe de ser um porão. O velho Bartolomeu desceu com o lampião e, quando os dois fizeram o mesmo, descobriram que o local na verdade era a entrada de uma mina, com uma infinidade de galerias escoradas de forma precária, conduzindo a diversas direções. O velho Bartolomeu olhou para Cacá e Patrícia com o ar cúmplice de quem revela um segredo e avançou para um dos túneis, indicando que eles deveriam segui-lo. Até onde a luz permitia enxergar, Cacá pôde ver que aquilo era um verdadeiro labirinto de galerias interligadas, que avançava sob a cidade.

Na superfície, enquanto isso, Rubão havia chegado à esquina e o que viu na praça o encheu de espanto: Kid Montanha estava estendido no chão, enquanto Lili, agachada, segurava a cabeça do Homem Cinza em seu colo, como se tentasse reanimá-lo. Incapaz de compreender o que tinha acontecido ali, Rubão abaixou-se e recolheu a escopeta de Matraca, que jazia ao lado da arma. De um momento para o outro, os planos que ele preparara com tanto cuidado estavam ameaçados.

— Maldito Bartolomeu! — ele gritou, enquanto corria para a casa em que vira o velho e o casal entrando.

A raiva de Rubão aumentou um pouco mais quando deparou com a porta trancada. Ele afastou-se um tanto e, tomando impulso, jogou o ombro com decisão contra a porta, arrombando-a. Segurando a escopeta à sua frente, Rubão viu-se numa sala vazia e não teve dificuldade em encontrar o corredor, quase caindo na escada por causa da iluminação precária. Descendo, percebeu a umidade do lugar e, ao apoiar-se na parede, sentiu o cheiro forte de terra — e isso trouxe à sua memória lembranças nostálgicas.

— Bartolomeu! Apareça! — Rubão berrou e arrepiou-se com o eco da própria voz, que se repetia de forma estranha no emaranhado de galerias subterrâneas. Entrou por um dos túneis, caminhando abaixado e sempre apoiado na parede úmida, da qual, a cada toque, desprendiam-se pedras e pequenas porções de terra.

— Sou eu, Rubens. Eu quero conversar com você!

Apontando a escopeta para o silêncio e a escuridão, Rubão repetiu esta última frase aos gritos, incomodado com a água que se infiltrava pelo teto do túnel e pingava em sua cabeça. De repente, seus olhos identificaram uma luz, que apareceu no fundo da galeria.

Caminhando devagar, aproximava-se o velho Bartolomeu segurando o lampião na altura do rosto.
— Vamos conversar, Bartolomeu. Sou eu, Rubens.
A luz do lampião mostrava a terra se desprendendo do teto da galeria no espaço que separava os dois. Rubão teve a impressão de que seus gritos poderiam provocar um desabamento a qualquer instante. O velho se deteve a poucos metros dele e franziu a testa, como se aquele nome tivesse despertado alguma coisa adormecida em sua memória. Diante de seu silêncio, Rubão continuou:
— Me entregue os meninos, Bartolomeu. Você já fez muita besteira hoje.
— Os fantasmas... Eles não gostam de estranhos — Bartolomeu murmurou, apontando seu cajado de modo ameaçador. — Vão embora daqui.
— Deixe de bobagem, Bartolomeu. Não há fantasma nenhum aqui. Eu sou o Rubens. Você não está me reconhecendo?
O velho Bartolomeu aproximou-se mais um pouco e ergueu o lampião para que sua luz incidisse no rosto de Rubão. E depois repetiu a frase sobre os fantasmas.
— Ah, meu Deus, você está pior do que eu pensava — Rubão exclamou, ainda apontando a arma para o velho. — Eu sou seu irmão, pô!
— Meu irmão? Ah, ah, ah — a gargalhada do velho ecoou nas galerias, provocando a queda de mais terra. — Meu irmão foi embora faz muito tempo, aquele ingrato. Não acreditou que a gente ia encontrar ouro...
— Pois é, seu bobo, estou vendo o ouro que encontrou aqui. Tudo o que você conseguiu foi escavar a cidade toda, como se fosse um tatu. — Rubão falava sem tirar os olhos do cajado, que o velho agitava à sua frente. — Você não está me reconhecendo? Eu voltei, Bartolomeu.
— Meu irmão foi embora. Os fantasmas não gostam de estranhos — o velho disse, aproximando-se um pouco mais. — Você quer ficar com a minha mina, pensa que eu não sei?
— Isso é besteira, Bartolomeu. Você ficou meio pancada quando a gente não achou o ouro que procurava. Mas agora eu estou de volta e vou deixar você muito mais rico do que com qualquer ouro que tenha sido encontrado nesta cidade.

— Meu irmão? Os fantasmas levaram meu irmão embora. — O velho dizia as frases desconexas e ia se aproximando cada vez mais de Rubão. — Meu irmão morreu... Você quer a mina...
— Que besteirada, Bartolomeu. Estou bem vivo. Aliás, se não fosse por mim, quem estaria morto era você. Hoje mesmo o Kid quis atirar em você e eu não deixei. Como é que eu ia deixar alguém atirar em meu próprio irmão? Agora, eu só quero os dois meninos. Vamos, cadê eles?
— Meu irmão... Meu irmão foi embora... Os fantasmas...
O velho gritou, e o som de sua voz irritada ecoou em todas as galerias. Em seguida, ele avançou brandindo o seu cajado e Rubão, ao tentar recuar, escorregou, batendo com as costas na parede da galeria, antes de estatelar-se na terra molhada pelas infiltrações. E foi isso que fez a escopeta disparar.

A arma produziu uma língua de fogo e um estrondo que foi ouvido até na superfície. No local atingido pelo disparo, no teto da galeria, iniciou-se um desabamento, que se propagou no mesmo instante para os outros túneis, arrastando pedras, terra e as velhas madeiras que o velho Bartolomeu usara para escorar as galerias.

— Isso vai cair!

Atingido por uma chuva de terra, Rubão urrou e tentou pôr-se de pé, mas patinou na lama e foi soterrado quando o teto da galeria veio abaixo. O braço do velho Bartolomeu que segurava o lampião foi a última parte de seu corpo a ser engolida pela avalancha. E, rapidamente, o som assustador da terra cedendo tomou conta do labirinto de galerias.

Cacá e Patrícia haviam se ocultado no fundo de outro túnel e, ao ouvir o barulho, começaram a correr, tentando alcançar a luz que vinha da saída para a casa. Segurando a menina pela mão, ele sentia a terra batendo na cabeça e nos ombros e, ao olhar para trás, teve a impressão de que o desabamento os seguia, cobrindo as galerias da mina à medida que passavam. Quando estavam para alcançar a escada de madeira, Patrícia escorregou e Cacá juntou toda a sua força para arrastá-la na lama. Conseguiu finalmente galgar os degraus e chegar ao corredor, puxando Patrícia pelo braço.

Enlameados e exaustos, eles permaneceram ali sentados e, ao olhar para o buraco da mina, Cacá compreendeu que um segundo a mais teria sido fatal para os dois. A terra cobrira tudo e agora um estranho silêncio pairava no ar, interrompido apenas pelo choro nervoso de Patrícia.

10. A MINA VERMELHA

Quando as paredes da casa começaram a estalar, indicando que tudo iria desabar a qualquer momento, o casal saiu à rua abraçado. Assim que cruzaram a porta, porém, descobriram que uma nova surpresa os aguardava do lado de fora: Matraca, segurando o revólver que Kid Montanha jogara longe antes de entrar em luta com o Homem Cinza.

— O que você quer? — Cacá perguntou, abraçando a namorada com mais força, num gesto protetor.

O homem barbudo emitia ruídos guturais e agitava a arma, indicando claramente que eles deveriam caminhar na direção em que ele apontava. A expressão no rosto de Matraca e seus gestos nervosos não deixavam dúvida de que o melhor era obedecer-lhe. Assim, Cacá e Patrícia começaram a andar, seguidos de perto pelo homem armado.

— O que ele vai fazer com a gente, Cacá? — Patrícia questionou, ao mesmo tempo em que olhava de relance para Matraca.

— Se meu palpite estiver certo, ele vai prender a gente na tal mina abandonada. Será que ele sabe que o chefão dele está enterrado na lama? — Cacá fez a pergunta e virou-se para observar a reação que aquilo provocaria em Matraca.

Como um urso enfurecido, o homem barbudo arregalou os olhos e grunhiu alto, apontando o revólver para a cabeça de Cacá, convencendo-o a continuar caminhando. Quando o trio chegou ao fim da rua, Matraca rosnou e apontou a porta de madeira da Mina Vermelha, quase escondida pela vegetação. Os gestos que fez a seguir mostraram a Cacá o que ele queria.

— Me ajude aqui, Pat, eu preciso abrir esta porta — o rapaz pediu, enquanto removia a tranca. — Vamos ver se dá pra conversar com ele.

Cacá e Patrícia gastaram alguns minutos empregando toda a força que tinham para arrastar a porta de seu lugar. O coração da menina bateu mais forte quando a luz do dia penetrou na mina e ela viu, encolhidos a um canto, Mônica, Alex e Helinho. Concluído o trabalho, Cacá voltou-se para Matraca:

— Escute, cara, pra que prender a gente aqui? Eu estou falando sério: seu chefe está soterrado naquela casa junto com o velho.

Ao ouvir a frase, Matraca assumiu um ar ameaçador e agitou o revólver próximo ao rosto de Cacá, como se estivesse ordenando que ele se enfiasse na escavação.

Percebendo que havia um impasse na entrada da mina, Helinho criou coragem e aproximou-se da porta. Ao vê-lo, o homem barbudo se agitou ainda mais, passando a apontar o revólver para ele.

— Deixe a gente ir embora, pelo amor de Deus — Patrícia soluçou e isso pareceu perturbar ainda mais Matraca, que voltou sua atenção e o cano da arma para a menina.

Helinho estava a pouca distância do homem que os ameaçava e, ao olhar para o revólver, seu corpo foi tomado por um súbito tremor. Por alguns segundos, ele perdeu o controle sobre seus atos e, quando deu por si, estava em pleno ar, saltando sobre Matraca. A ação apanhou o homem desprevenido e ele rolou pelo chão, engalfinhado com Helinho. Rapidamente Cacá entrou em ação e segurou a mão com que Matraca empunhava a arma. Alex e Mônica vieram também até a entrada da mina e permaneceram estáticos vendo a cena: Cacá e Helinho tentando dominar o homem barbudo, a poucos passos de Patrícia, que contemplava a luta de boca aberta e olhos arregalados.

Mas Matraca era bem mais forte do que seus dois oponentes e, com um empurrão, jogou Helinho para longe, voltando-se depois para Cacá, que tentava tomar-lhe o revólver. Girando o corpo, o homem barbudo torceu o braço de Cacá e, aplicando uma cotovelada no peito do rapaz, derrubou-o e recuperou a arma. Porém, antes que ele conseguisse apontá-la novamente para o grupo, o som de um tiro fez com que todos se voltassem na direção da rua.

— Já chega, Matraca. Está tudo acabado. Se você fizer um movimento, sou obrigada a atirar. — Lili estava parada a poucos metros da entrada da mina e segurava a arma do Homem Cinza com as duas mãos.

Matraca olhou-a e resmungou, inconformado. Lili aproximou-se um pouco mais, mantendo-o na mira da automática e ordenou:

— Deixe os meninos saírem. Eles já não vão atrapalhar mais nada. Kid está morto e Rubão está enterrado numa casa que acaba de desabar. E eu vou embora com o Rodolfo. Está tudo terminado.

Matraca ainda quis retrucar alguma coisa, mas a atitude de Lili não deixava margem para dúvidas. Assim, ele guardou o revólver no cinto e, cabisbaixo, saiu caminhando em direção à cidade, olhando seguidas vezes para trás. A loira esperou que ele se afastasse e então indagou a Cacá:

— Você dirige? Há um carro guardado no barracão ao lado da funerária e vocês podem usá-lo para sair daqui. Eu estou indo embora agora.

Depois de dizer isso, Lili voltou para a rua e se afastou. Sem perda de tempo, Cacá, Patrícia, Helinho, Alex e Mônica fizeram o mesmo. Enquanto seus companheiros corriam para o hotel, para apanhar as bagagens, Cacá foi até o barracão indicado por Lili e efetivamente encontrou ali um velho Fusca, o veículo que ia tirá-los de Aurópolis. Abrindo o porta-luvas, o rapaz encontrou as chaves do carro e os documentos em nome de Rubens Ramos. Deu a partida e saiu para a rua de terra. Quando manobrou no sentido da praça, ainda teve tempo de notar que Matraca se esforçava para arrastar o corpo de Kid Montanha na direção da funerária e exibia um ar de completa derrota.

No hotel, as meninas e Alex pegaram suas mochilas com rapidez e se reuniram na recepção, à espera de Cacá. Helinho, que já tinha sua bagagem preparada, demorou-se um pouco mais para deixar seu quarto. Sentado na cama, ele leu o diário de Mônica com avidez, antes de escondê-lo em sua mochila. Quando se juntou aos companheiros, trazia no rosto um sorriso enigmático, que aumentou ainda mais ao perceber que Alex e Mônica estavam sentados de mãos dadas. Quando Cacá estacionou o Fusca, sua sugestão de passarem mais aquela noite no hotel foi recebida com vaias e risos. E então eles partiram.

O Fusca subiu com dificuldade o estreito caminho de terra, derrapando várias vezes. Ainda havia no ar a poeira levantada pelo Opala do Homem Cinza, que passara pelo local poucos minutos antes. O dia estava chegando ao fim e Aurópolis, banhada pela luz do crepúsculo do começo de setembro, assumia um ar fantasmagórico. No momento em que o carro alcançou a estrada, Cacá desligou o veículo e todos desceram para contemplar a cidade pela última vez. Era um entardecer silencioso e houve um instante em que todos ali tiveram a nítida impressão de estar ouvindo os sinos da igreja. Eles se entreolharam e sorriram, mas ninguém disse uma palavra.

Quando começou a escurecer, Cacá acendeu os faróis do carro e percebeu que já estavam próximos de Bauru. O plano do grupo era procurar a polícia, relatar o que havia acontecido em Aurópolis e depois ir para a rodoviária da cidade, onde tomariam o ônibus de volta para São Paulo. Passar o feriado no *camping* era uma ideia que todos tinham deixado de lado.

— Gente, quando eu contar lá em casa o que aconteceu ninguém vai acreditar — Patrícia comentou, voltando-se para Alex, Mônica e Helinho, que ocupavam o assento traseiro do carro. — Meu Deus, teve uma hora em que eu achei que nunca mais conseguiria sair daquele lugar. Coitado do velho Bartolomeu... Será que ele não conseguiu escapar do desabamento?

— Ah, dificilmente, Pat. Acho que a polícia vai precisar de uma escavadeira pra desenterrar aqueles dois — Cacá opinou, lembrando-se com um arrepio do ruído da mina desmoronando. — Aquilo tudo ia cair a qualquer hora. O velho Bartolomeu estava doido mesmo. Vocês precisavam ver o monte de túneis que ele cavou embaixo da cidade atrás de ouro...

— Doido ou não, se não fosse ele a gente não tinha conseguido escapar. E que loucura, meu Deus: quem ia imaginar que ele e o Rubão eram irmãos? — Patrícia disse.

— Bom, pelo jeito essa loucura toda serviu para alguma coisa boa, né? — Cacá falou e, indicando Alex e Mônica com um movimento de cabeça, piscou o olho para a namorada.

Alex ruborizou-se um pouco e, apertando com mais força a mão de Mônica, beijou-a suavemente no rosto.

Helinho estava silencioso e olhava a escuridão pela janela do Fusca. Aquela aventura servira para alguma coisa boa também para ele. Com o salto sobre Matraca, conseguira provar a si mesmo que não era um covarde, vencendo o trauma que se iniciara durante o assalto à casa em que vivia com os pais. Na semiescuridão do carro, Helinho sorriu, satisfeito, mesmo sabendo que não poderia partilhar aquele sentimento com seus companheiros. Afinal, concluiu, era como tentar explicar para alguém que ele estava crescendo.

— Bom, pelo jeito essa loucura serviu para alguma coisa boa, né? — Cacá falou, indicando Mônica e Alex com um movimento de cabeça.